The person charging th
sponsible for its
which it was

Musik-Konzepte 1/2 Claude Debussy

MUSIK-KONZEPTE
Die Reihe über Komponisten
Herausgegeben von Heinz-Klaus Metzger und Rainer Riehn

Heft 1/2
Claude Debussy
Dezember 1977
ISBN 3-921402-56-5

Die Wiedergabe der Notenbeispiele erfolgt mit Genehmigung
der folgenden Verlage:
Jobert, Paris (Nocturnes)
Durand & Cie, Paris (Quatuor, Jeux, La sérénade interrompue)
Theodore Presser Company, Bryn Mawr, Pennsylvania (Images oubliées)

Die Reihe MUSIK-KONZEPTE erscheint mit vier Nummern im Jahr.
Einzelnummern DM 9.—, Doppelnummern DM 18.—,
im Abonnement DM 30.— für vier Nummern zuzüglich Versandkosten.

Zu beziehen durch jede Buch- und Musikalienhandlung oder über den Verlag.

Gestaltung und Umschlag-Entwurf: Dieter Vollendorf, München

Gesamtherstellung: Johannesdruck Hans Pribil KG, München

édition text + kritik GmbH
Postfach 800529, 8000 München 80

Music

Debussy und Poe

Eine Dokumentation von Juan Allende-Blin

1889

Debussy zu seinem Kompositionslehrer Ernest Guiraud

(Gespräch überliefert von Maurice Emmanuel)

... Die sogenannten Romantiker sind immer noch Klassiker; und Wagner sogar mehr als alle zusammen. Härten in seiner Sprache? Ich nehme keine wahr. Alterationen? Hat er sie denn erfunden? Chromatik? Er nützt ja nicht einmal die der zwölf Halbtöne aus, die die Klaviatur anbietet und die nur ausgebeutet werden müßte. Er bleibt dem diatonischen Dur und Moll hörig. Er findet da nicht hinaus ...

11. Januar 1890

Brief von André Suarès an Romain Rolland

Herr Achille Debussy ... arbeitet an einer Symphonie über psychologisch durchgeführte Themen, deren Idee so manche Erzählung Poes, besonders »Der Fall des Hauses Usher«, sein soll.

6. September 1893

Brief von Debussy an Ernest Chausson

Was ich auch unternehme, es gelingt mir nicht, die traurige Stimmung meiner Landschaft aufzuheitern: manchmal sind meine Tage rußfarben, düster und stumm wie die eines Helden von Edgar Allan Poe, und meine romanhafte Seele ist wie eine Ballade von Chopin! Die Einsamkeit bevölkert sich mit zu vielen Erinnerungen, die ich nicht vor die Tür setzen kann, schließlich muß man leben und warten[1].

9. Juni 1902

Brief von Debussy an André Messager

Ich arbeite am »Teufel im Glockenturm«; es wäre mir deshalb lieb, daß Sie die Erzählung läsen oder wiederläsen, um mir Ihre Meinung zu sagen:

---

[1] Vgl. diesen Brief Debussys mit dem Beginn von »La Chute de la maison Usher« in Baudelaires Übersetzung: »Pendant toute une journée d'automne, journée fuligineuse, sombre et muette, où les nuages pesaient lourds et bas dans le ciel, j'avais traversé seul et à cheval une étendue de pays singulièrement lugubre, et enfin comme les ombres du soir approchaient, je me trouvai en vue de la mélancolique Maison Usher.«

daraus läßt sich doch etwas machen, worin sich Wirkliches und Phantastisches in glücklichen Proportionen verbänden. Es käme auch ein ironischer und grausamer Teufel heraus, der viel mehr Teufel wäre als diese Art von rotem Clown, dessen Tradition uns unlogischerweise bewahrt blieb. Ich möchte auch mit der Idee aufräumen, daß der Teufel der Geist des Bösen sei, er ist ganz einfach der Widerspruchsgeist, und vielleicht ist er es, der in jenen weht, die nicht wie jedermann denken ...

12. September 1903

Brief von Debussy an André Messager

Wenn es um den *Teufel* geht, soll man nicht zu früh sagen: »Es ist geschafft«. Das Scenario ist fast komplett, die musikalische Farbe, die ich einsetzen will, einigermaßen festgelegt; es bleiben viele schlaflose Nächte und eine große Hoffnung am Ende von alledem. Was die Leute angeht, die mir die Freundlichkeit erweisen, zu hoffen, ich würde niemals vom *Pelléas* loskommen können, so haben sie absichtsvoll einen Korken vor dem Auge. Sie wissen offenbar nicht, daß ich, wenn das zuträfe, lieber Ananas im Wohnzimmer züchten würde, denn ich halte es für die ärgerlichste aller Sachen, »sich zu wiederholen«. Übrigens ist es wahrscheinlich, daß dieselben Leute es skandalös finden werden, Mélisandes Schatten für die Pirouette des Teufels drangegeben zu haben, und daß ihnen dieser Vorwand gerade recht sein wird, um mich abermals der Bizarrerie zu beschuldigen.

7. Juli 1906

Brief von Debussy an seinen Verleger Jacques Durand

... Ich muß in den Glockenturm zurück, zu diesem Teufel, der mir sonst am Ende noch böse werden könnte. Was den »Teufel« anlangt, so glaube ich eine neue Art gefunden zu haben, die Behandlung der Stimmen umzuwälzen, die den doppelten Vorzug hat, einfach zu sein. Aber ich wage noch nicht ganz daran zu glauben, und es soll ein Geheimnis zwischen Ihnen und mir bleiben ... Ich habe immer Angst, eines dreckigen Morgens zu entdecken, daß es ein Blödsinn ist. Nun, ich nutze mein Leben so vollständig wie möglich, und wenn die Musik für mich nicht das mindeste Lächeln erübrigt, so weil sie ein wahrhaft verstocktes Herz hat ...

18. Juni 1908

Brief von Debussy an Jacques Durand

All die letzten Tage habe ich viel am »Fall des Hauses Usher« gearbeitet, und zuzeiten verliere ich das genaue Gefühl für alles, was mich umgibt: selbst wenn Roderick Ushers Schwester plötzlich in meine Behausung träte, wäre ich nicht übermäßig erstaunt ...

5. Juli 1908

Brief von Debussy an Gatti-Casazza

Monsieur Gatti-Casazza
Directeur du Metropolitan Opera de New York

Monsieur le Directeur,
im Nachgang zu unserem heutigen Gespräch bestätige ich Ihnen hiermit
die schon zuvor von mir eingegangene Verpflichtung, die Option für die
beiden nachstehenden Werke:

La Chute de la Maison Usher
Le Diable dans le Beffroi

der Metropolitan Opera und den mit ihr verbundenen Theatern in den
Vereinigten Staaten von Amerika, insbesondere der Boston Opera Company, zu übertragen.
Diese Übertragung erfolgt gegen Zahlung von Frs 10.000 für beide Werke
an mich, wovon mir ein Vorschuß von Frs 2.000 ausbezahlt worden ist
und der restliche Betrag nach Lieferung der beiden Aufführungsmaterialien
durch meinen Verlag an mich überwiesen werden wird.
Außerdem verlange ich, daß die beiden Werke, die den Gegenstand dieses
Vertrages bilden, immer zusammen am selben Abend aufgeführt werden,
sowohl in New York als auch in den angeschlossenen Theatern, und daß
keine Arbeit eines anderen Urhebers im selben Programm erscheint.
Ferner bestätige ich hiermit, daß ich für meine künftigen Werke, insbesondere für die »Légende de Tristan«, der Metropolitan Opera die erste
Option freihalte.
Croyez, Monsieur le Directeur, à mes sentiments de sympathique recon-
naissance.

(gez.) Claude Debussy

Ich bestätige hiermit, von Messieurs G. Astruc & Cie, Vertreter der Metropolitan Opera, im Auftrag von Monsieur Gatti-Casazza, deren Direktor,
den Betrag von Frs 2.000 richtig erhalten zu haben als Anzahlung auf den
Betrag für die Option auf meine künftigen Werke gemäß meinem heutigen
Schreiben.

Paris, 5. Juli 1908
(gez.) C. D.

18. Juli 1908

Brief von Debussy an Jacques Durand

Der Erbe der Familie Usher läßt mich nicht zur Ruhe kommen ... Ich
begehe um die zehn Unhöflichkeiten pro Stunde, und die Außenwelt existiert für mich fast nicht mehr ... Das ist ein kostbarer Geisteszustand,
der aber den Nachteil hat, mit dem zwanzigsten Jahrhundert unvereinbar
zu sein!

24. Juni 1909

Brief von Debussy an Jacques Durand

Ich arbeitete die letzten Tage an der »Chute de la Maison Usher« und habe einen langen Monolog des armen Roderick fast vollendet. Das ist so traurig, daß die Steine weinen ... denn eben vom Einfluß der Steine auf die Stimmung der Neurastheniker ist dort die Rede. Das riecht auf bezaubernde Art nach Schimmel und wird erzielt durch die Mischung des tiefen Oboenregisters mit den Flageoletts der Violinen.

14. August 1909

Brief von Debussy an Jacques Durand

... Ihre Freundschaft wird es vermögen, die Vergessenheit zu entschuldigen, in welche (andere Arbeiten) bei mir in der letzten Zeit gerieten, denn ich ließ mich dazu hinreißen, mich nur noch um »Roderick Usher« und den »Teufel im Glockenturm« zu kümmern ... Ich schlafe mit Ihnen ein, und wenn ich wieder aufwache, begrüßen mich die düstere Melancholie des einen und das Hohngrinsen des anderen! ...

25. August 1909

Brief von Debussy an André Caplet

... ich lebte die letzte Zeit im Hause Usher. (...) Man verfällt dort in die sonderbare Manie, Hauseinstürze wie ein Naturphänomen zu hören. (...) Übrigens, wenn Sie wollen, gestehe ich gern ein, daß mir solche Leute lieber sind als ... viele andere ...

8. Juli 1910

Brief von Debussy an Jacques Durand

... Wenn mir der Fortschritt der Angst, der *La Chute de la Maison Usher* werden soll, so gelingt, wie ich es wünsche, dann werde ich die Musik wohl gut bedient haben – *únd meinen Verleger und Freund Jacques Durand auch.*

15. Juli 1910

Brief von Debussy an Jacques Durand

... Wie Sie selbst sagen, verbringe ich mein Leben im »Hause Usher« ... dieses hat nichts von einem Sanatorium und manchmal komme ich aus ihm heraus mit gleich Violinsaiten gespannten Nerven.

31. Juli 1910

Brief von Debussy an Jacques Durand

Ich verbrachte eine Woche mit beschwerlichen Alternativen: einen Tag gut, zwei Tage schlecht, oder umgekehrt. Schließlich war ich so schlecht in Schwung, daß ich es nicht wagte, Sie zu besuchen ... Mit der Entschuldigung des »Hauses Usher«, glauben Sie mir ...

24. August 1910

Brief von Debussy an Louis Laloy

... ich bin in unausstehlicher Stimmung und aufsässig gegen jede Art von Freude außer gegen die, mich täglich ein bißchen mehr zu zerstören. Es ist dies nicht ganz meine Schuld, aber ich bin ziemlich unglücklich: ein wenig von der Familie Usher steckt in alledem ...

17. Dezember 1910

Interview von Louis Vuillemin in der »Comoedia«

Schweigen Sie. Sie wollen auf mein nächstes Stück zu sprechen kommen: *La chute de la maison Usher*. Es ist nicht fertig. Wann es fertig wird? Bald. Niemals. Ich weiß darüber nichts.
Schweigen Sie. Sie wüßten gern, wie weit mein anderes Stück ist: *Le diable dans le beffroi?* So weit wie das vorige.

18. Januar 1911

Interview im »Excelsior«

Ich frage ihn, woran er gerade arbeitet, und der Meister unterbricht mich sofort:
– Fragen Sie mich niemals, wie weit meine Arbeiten sind; ich weiß darüber selbst nichts. Im Augenblick arbeite ich am *Saint Sébastien* von Gabriele D'Annunzio und bin davon gänzlich in Anspruch genommen. Die Dichtung ist sehr schön und enthält wahre Schätze lyrischer Phantasie. D'Annunzio, ich sage das mit Vergnügen, ist ein Künstler vom Schlage der Anfeuerer. Wo er erscheint, bringt er das Leben mit, ein energisches und fruchtbares Leben. Für einen Komponisten kann es keinen wertvolleren Mitarbeiter geben. Ein einziger Umstand belastet mich bei dieser Arbeit, nämlich daß ich sie zu einem festgesetzten Termin fertigstellen muß; davor graut mir, ich werde von dieser Vorstellung gelähmt und kann an nichts anderes mehr denken.
– *Sie haben demnach die Stücke, die Sie in Arbeit hatten, weggelegt:* Le Diable dans le beffroi, La Chute de la maison Usher.
– Momentan ja. Diese Arbeiten sind weit fortgeschritten, aber da mich

kein Direktor und kein Mitarbeiter drängt, sie zu beenden, arbeite ich an ihnen in Frieden. Ich halte es für überflüssig, viele Werke zu geben: besser ist es, so viel wie möglich in einem einzigen, jedenfalls in wenigen zu geben.

6. Februar 1911

Brief von Debussy an Robert Godet

Die beiden Erzählungen von Poe sind auf ich kann nicht sagen wann vertagt! Ihnen darf ich gestehen, daß mich das nicht betrübt, da mir nämlich viele »Akzente« noch nicht gefallen; auch ist die ganze Anlage nicht zwingend genug, besonders in »Le Diable dans le Beffroi«, wo ich einen extrem einfachen, aber gleichwohl extrem mobilen Chorsatz erreichen möchte ... Verstehen Sie: die Choreinlagen im *Boris* befriedigen mich ebensowenig wie der starrsinnige Kontrapunkt im zweiten Akt der *Meistersinger* ...

18. Dezember 1911

Brief von Debussy an Robert Godet

... Was die ganze Anlage betrifft, so ist es mir bis jetzt nicht gelungen, für die beiden kleinen Dramen nach Edgar Poe die Lösung zu finden, die mir vorschwebt ... Man spürt noch die Arbeit und sieht die »Nähte«. Je weiter ich vorankomme, desto mehr graut mir vor dieser *gewollten* Unordnung, die das Ohr nur betrügt. Wie auch vor bizarren oder amüsanten Harmonien, die bloß ein Gesellschaftsspiel sind ... Wie viel muß man zuerst finden und dann wieder tilgen, um bis ans nackte Fleisch der Empfindung zu rühren ... der reine Instinkt sollte uns doch warnen, daß Stoffe, Farben nur illusorische Verkleidungen sind.

21. Dezember 1911

Brief von Debussy an André Caplet

Die Musik kommt mir auch nicht sehr zu Hilfe, es will mir nicht gelingen, die beiden kleinen Dramen nach Poe zu vollenden, das ödet mich alles an wie ein Keller. Auf einen einigermaßen freien Takt kommen zwanzig, die unter dem Gewicht einer einzigen Tradition ersticken, deren heuchlerischen und feigen Einfluß ich allen meinen Anstrengungen zum Trotz doch stets wieder erkennen muß.

5. März 1914

Antwort Debussys an einen Journalisten, der ihn um seine Meinung über das Rezitativ im Musikdrama gebeten hatte

Lieber Kollege,
haben Sie nicht den Eindruck, daß heutzutage das Rezitativ, so wie unsere

Die
neue Reihe
Musik-
Konzepte
Die Reihe
über
Komponisten

edition
text+kritik

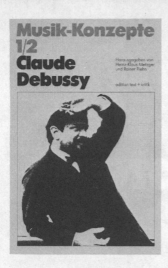

Musik-Konzepte 1/2
Claude Debussy

Herausgegeben von
Heinz-Klaus Metzger
und Rainer Riehn

edition text + kritik

Januar 1978

1/2
Claude Debussy
136 Seiten, DM 18,—

3
Mozart
Ist die Zauberflöte
ein Machwerk?
DM 9,—

MUSIK-KONZEPTE
Die Reihe über Komponisten

Herausgegeben von
Heinz-Klaus Metzger und
Rainer Riehn

Die Reihe MUSIK-KONZEPTE
führt ein, was bisher in der
deutschen Musikpublizistik
gänzlich fehlte: musikalische
Themenhefte.

Im Gegensatz zu bestehen-
den Musikzeitschriften enthalten die Hefte der Reihe
MUSIK-KONZEPTE weder
aktuelle Berichterstattung
über das Musikleben, noch
Grundsatzartikel mit ver-
schiedener Thematik in ein-
unddemselben Heft.

Vielmehr ist jede Nummer
dieser neuen Reihe einem
Komponisten gewidmet, wo-
bei moderne Komponisten
und solche der europäischen
Vergangenheit sich in un-
schematischer Folge ab-
wechseln.

Gelegentlich gelten Hefte
einem bestimmten Aspekt —
sei es einem einzelnen Werk
oder einer Werkgattung des
behandelten Komponisten.

Untertitel der Hefte verweisen
dann jeweils auf die besonderen Schwerpunkte.

Die Reihe MUSIK-KONZEPTE
erscheint vierteljährlich, jeweils zu Beginn eines Quar-
tals. Alle Hefte können einzeln
oder im verbilligten Abonnement bezogen werden.

April 1978

Juli 1978

4
Alban Berg
Kammermusik
DM 9,–

5
Richard Wagner
Wie antisemitisch darf
ein Künstler sein?
DM 9,–

Claude Debussy (1/2)
136 Seiten, DM 18,–

Dieses Heft erscheint als
Doppelnummer aus Anlaß der
Uraufführung Debussys Opern-
fragment „La Chute de la
maison Usher" und enthält
u. a. das sonst nirgends zu-
gängliche Libretto in franzö-
sischem Originaltext und
deutscher Übersetzung.

Die nächsten Hefte der Reihe
MUSIK-KONZEPTE:

Mozart (3)
Ist die Zauberflöte ein Mach-
werk?
(Januar 1978)

Alban Berg (4)
Kammermusik
(April 1978)

Richard Wagner (5)
Wie antisemitisch darf ein
Künstler sein?
(Juli 1978)

Edgar Varèse (6)
Rückblick auf die Zukunft
(Oktober 1978)

Im Abonnement kostet die
Reihe MUSIK-KONZEPTE
DM 30,– für vier Nummern
jährlich. (Einzelnummern
DM 9,–, Doppelnummern
DM 18,–).

Bestellungen bitte an Ihre
Buch- oder Musikalienhandlung oder an den Verlag.

Oktober 1978

6
Edgar Varèse
Rückblick auf die Zukunft
DM 9,—

Bestellschein

alten Meister es begriffen, fast völlig verschwunden ist? oder es hat sich in seinem Wesen zumindest derart geändert, daß man es nicht mehr so nennen kann.

Es ist Teil jenes melodischen Einschusses, der, in den harmonischen Fond eingewoben, die verschiedenen Episoden des musikalischen Dramas einbindet. Auch ist es recht delikat, zu fixieren, was ein Rezitativ und was keines ist!

Was mich betrifft, so gestehe ich, daß es mir schwer fiele, Ihnen das »typische« Beispiel zu schicken, um das Sie mich in einer Form, die ich schätze, bitten.

Ich bin glücklich über die Gelegenheit, Sie meiner aufrichtigen Herzlichkeit zu versichern.

Claude Debussy

Ich wurde am 22. August vorigen Jahres 51 Jahre alt.

Oktober 1915

Brief von Debussy an Robert Godet

Ironischerweise trifft mich dieser Zwischenfall mitten im Schwung der Arbeit; wie sagt man doch: das geschieht nicht alle Tage. Man muß die schönen Augenblicke nützen, um die schlimmen Stunden auszugleichen. Ich war dabei – oder fast dabei –, die *Chute de la Maison Usher* zu vollenden: die Krankheit hat meine Hoffnung ausgelöscht. Auf dem Aldebaran oder auf dem Sirius wird es freilich nicht viel verschlagen, ob ich Musik mache oder nicht, aber ich schätze den Widerspruch wenig und finde mich schwer mit dieser Wendung meines Schicksals ab, und ich leide wie ein Verdammter!

4. September 1916

Brief von Debussy an Robert Godet

Die Krankheit – diese alte Magd des Todes[2] – hat mich zu ihrem Experimentierfeld erwählt. Weiß Gott warum? Ich arbeite nur, um mich zu überzeugen, daß ich nichts tun sollte. Wann das alles enden wird? ... dies Haus hat sonderbare Ähnlichkeiten mit dem Hause Usher ... Zwar bin ich nicht im Hirn verwirrt wie Roderick Usher ... doch die Überempfindlichkeit gleicht uns einander an ... darüber könnte ich Ihnen Détails mitteilen, daß Ihnen die Barthaare ausfielen.

(Aus dem Französischen übersetzt von H.-K. Metzger)

---

[2] Arkel gebraucht diesen Ausdruck in »Pelléas et Mélisande« (IV. Akt, 2. Szene).

La Chute de la maison Usher

Livret de Claude Debussy d'après »The Fall of the House of Usher« d'Edgar Allan Poe[1].

La chambre de Roderick Usher. Grande pièce au plafond arrondi en voute. Fenêtres longues et étroites à une assez grande distance d'un plancher de chêne. Murs tapissés de sombre »verdures«[2]. A gauche, une haute cheminée où brûle un feu dont les lueurs projettent de rouges reflets. Dans un pan coupé, également à gauche, une grande porte aux panneaux d'ébène.

Ammeublement extravagant qui, malgré son ancienne et véridique beauté est d'un aspect incommode et délabré. Des livres, des instruments de musique anciens gisent éparpillés çà et là.

Au fond, une porte fenêtre à laquelle on accède par trois marches s'ouvre sur un parc borné par un étang aux eaux croupies.

C'est la fin du jour. De gros nuages sombres passent au dessus du feuillage presque noir de hauts cyprès sur un ciel de plomb[3].

---

(1) Tiré de: Edward Lockspeiser: Debussy & Edgar Allan Poe. Documents inédits recueillis et présentés par E. L. — Série Domaine Musical — Editions du Rocher. Monaco, 1961, pp. 85ss. Le manuscrit de la 2e version du livret de Debussy, de 1916, se trouve à la Bibliothèque Nationale. La 1e version appartient à la collection du prof. Pasteur-Vallery-Radot; ses différences par rapport à la 2e version sont indiquées en bas de page.

(2) Tapisseries, au long desquelles sont suspendus des instruments anciens.

(3) Sur un ciel rouge de sang.

Der (Ver)fall des Hauses Usher

Libretto von Claude Debussy nach »The Fall of the House of Usher«
von Edgar Allan Poe[1]

Das Zimmer von Roderick Usher. Ein überaus großer und hochgewölbter Raum mit stuckverzierter Decke. Lange und schmale Spitzbogenfenster
in beträchtlicher Höhe über dem schwarzeichenen Parkettfußboden. An
den Wänden düster und schwer wirkende Zimmerpflanzen[2]. Zur Linken
ein hoher Kamin; der Schein seines Feuers flackert gelegentlich rot in den
Raum. Neben dem Kamin eine große getäfelte Tür aus Ebenholz.

Die Einrichtung ist extravagant. Sie wirkt uraltväterisch und durchaus
schön, zugleich aber und vorherrschend unbehaglich und verschlissen.
Bücher und alte Musikinstrumente liegen verstreut umher. Im Hintergrund gelangt man über drei Stufen zu einer Gartentür mit Glasfenstern,
die sich zu einem Park hin öffnet. Park und Haus sind von einem Graben
umschlossen, dessen stehendes Teichwasser moderig und dunkel ist.

Es ist Abend. Über dem fast schwarzen Blattwerk hoher Zypressen
ziehen an einem bleischweren Himmel große dunkle Wolken vorüber[3].

---

[1] Entnommen aus: Edward Lockspeiser: Debussy & Edgar Allan Poe. Documents inédits
recueillis et présentés par E. L. — Série Domaine Musical — Edition du Rocher. Monaco 1961,
p. 85 ff.
Das Manuskript der 2. Fassung von Debussys Libretto aus dem Jahre 1916 befindet sich in der
Bibliothèque Nationale, Paris. Die 1. Version liegt in der Sammlung von Prof. Pasteur-Vallery-
Radot; ihre Abweichungen von der 2. Fassung werden in den Anmerkungen angegeben.

[2] An den Wänden mit Gobelins alte Instrumente.

[3] An einem blutroten Himmel.

Personnages.

Roderick Usher, à 35 ans, la figure ravagée par l'angoisse – il ressemble
un peu à E. A. Poe – malgré le désordre de son costume,
on sent qu'il y fait attention. Haute cravate vert-foncé.

L'ami de Roderick, (plus âgé que R. U.), aux allures simples de »gentleman
farmer«. Vêtements de velours cotelé (marron), hautes
bottes molles.

Le Médecin (n'a pas d'âge appréciable). Ses cheveux sont roux mêlés de
fils d'argent, son regard brille à travers de larges lunet-
tes. Sa voix chuchotante, son allure inquiète; il semble
toujours craindre qu'il n'y est quelqu'un derrière lui, en
habit noir – de l'époque.

Lady Madeline. Très jeune, longue robe blanche.

Costumes de l'époque du Romantisme anglais.

Die Personen der Handlung

Roderick Usher, 35 Jahre, mit einem von Schmerz gezeichneten Gesicht. Er ähnelt etwas Edgar Allan Poe. Er trägt vornehme Kleider im Stil der Zeit mit einer dunkelgrünen, hochgebundenen, flauschigen Krawatte. Obwohl seine Kleidung sehr in Unordnung geraten ist, spürt man ihren einstigen Wert.

Sein Freund (älter als Roderick Usher). Er ist geprägt von dem schlichten und einfachen Verhalten eines »Gentleman farmer«. Er trägt einen braunen Kordsamtanzug mit hohen, weichen Stiefeln.

Der Arzt (von schwer einzuschätzendem Alter). Er hat rotes Haar, in dem gelegentlich ein Silbergrau schimmert. Hinter einer großen Brille erkennt man einen stechenden Blick. Seine Kleidung ist schwarz und im Stile der Zeit. Er spricht leise und immer auf unbestimmte Weise beunruhigt und nervös. Er scheint stets zu glauben, daß irgend jemand hinter ihm steht.

Lady Madeline. Sehr jung, langes weißes Kleid.

Alle Personen sind im Stile der englischen Romantik gekleidet.

1e SCENE

Au lever du rideau, la chambre est vide. Une lampe placée près d'un large divan éclaire seule la scène. On entend une voix lointaine et maladive, – c'est la voix de Lady Madeline. On la verra traverser la scène et disparaître vers la gauche. Presqu'aussitôt, l'ami de Roderick Usher, précédé par un domestique, entre par la porte fenêtre.

Le Médecin est entré furtivement par une porte basse dissimulée sous la tapisserie.

La voix de Lady Madeline
      Dans la plus verte de nos allées
      par de bons anges habitée
      Jadis un palais majestueux dressait son front
      C'était dans les domaines du Monarque Pensée
      Jamais Séraphin ne déploya son aile
      sur un palais à moitié aussi beau[4].

      (entrent l'Ami et le Médecin)

Le Médecin: Qui êtes-vous? que voulez-vous?
      Ne vous-a-t-on pas dit que personne n'a le droit d'entrer dans cette chambre?

L'Ami: Roderick m'a écrit, sa lettre, follement pressante, ne permet aucun retard. Je suis son seul ami, je vous en prie...

Le Médecin: Ah! oui! je sais...

      (les deux hommes se saluent froidement)

      Voyez en moi son médecin dévoué depuis longtemps. J'eus même le triste honneur d'assister sa mère à ses derniers instants, quelle fin misérable!

---

(4) Suite dans l'esquisse:
    Et toute de perles et rubis (barré: étincelante — jaillissante) éclatante
    était la porte du beau palais,
    à travers laquelle arrivait par flots, par flots,
    étincelante toujours,
    une troupe d'Echos dont le doux devoir
    n'était que de chanter
    Avec des voix d'insurpassable beauté,
    L'espoir et la sagesse de leur roi.

1. Szene

Der Vorhang hebt sich vor dem leeren Zimmer Roderick Ushers. Nur eine Lampe neben einem breiten Diwan gibt dem Raum ein wenig Licht. Zunächst hört man nur aus einiger Entfernung eine kranke Stimme. Es ist die Stimme von Lady Madeline. Schließlich erscheint Lady Madeline und überquert die Bühne von rechts nach links. Kaum ist Lady Madeline verschwunden, führt ein Diener den Freund durch die Gartentür in das Zimmer von Roderick Usher.

Auf geheimnisvolle Weise ist zugleich der Arzt durch eine unsichtbare, niedrige Tür an den Gobelins-Wänden eingetreten.

Die Stimme der Lady Madeline:
> In dem grünsten unsrer Täler,
> guter Engel stete Rast,
> hob sein Haupt – schön, ohne Fehler –
> einst ein stattlicher Palast.
> Wo Fürst Geist befiehlt den Dingen,
> ragte er!
> Nie noch schirmten Seraph-Schwingen
> ein Gebild nur halb so hehr[4].

(Der Freund und der Arzt treten ein.)

Der Arzt: Wer sind Sie? Was wollen Sie? Wissen Sie nicht, daß niemand dieses Zimmer betreten darf?

Der Freund: Roderick hat mir geschrieben, voller Hast und Bestürzung. Sein Brief ließ mich nicht zögern. Ich bin sein einziger Freund. Ich bitte Sie ...

Der Arzt: Ach ja ...

(Die beiden Männer begrüßen sich reserviert.)

Ich bin sein Arzt, seit langer Zeit diene ich ihm treu und ergeben. Ich hatte schon die traurige Ehre, seiner Mutter in ihrer grauenhaften letzten Stunde beizustehen. Welch elendiges Sterben!

---

[4] Die deutsche Fassung des Liedes »Das Geisterschloß« aus Edgar Allan Poes Erzählung stammt aus der Übersetzung von Arno Schmidt. In der 1. Version hat Debussy noch eine weitere Strophe hinzugefügt:
Von Perlen und Rubinen glutend
war des Palastes Tor,
und stets kam flutend, flutend, flutend
daraus ein Schimmerchor
von Echos, deren süße Pflichten,
in Näh' und Fern
mit Zauberstimmen zu berichten
von Witz und Weisheit ihres Herrn.

L'Ami: Il réclame instamment ma présence, il dit en espérer un peu
                  de joie, quelque soulagement à d'intolérables souffrances
                  ... C'est l'appel suppliant d'un cœur qui se débat contre
                  on ne sait quelle terreur.

Le Médecin: Hélas! il n'y a plus rien à faire ... Cet homme est le der-
                  nier d'une race orgueilleuse et hautaine que la transmission
                  constante du même sang devait fatalement épuiser. Pres-
                  que tous furent des malades[5], des maniaques adonnés
                  à de bizarres sciences ... Des fous, cher Monsieur, des
                  fous, croyez-moi!

L'Ami: Je n'ai trouvé en Roderick qu'une âme éprise d'art, de
                  beauté ...

Le Médecin: Si vous voulez ... Ce n'est d'ailleurs que la même recherche
                  du bizarre, du biscornu, – il ne pouvait y échapper. Vous
                  le verrez ... quoique jeune encore, son âme désordonnée
                  a déjà usé son faible corps. Vous verrez ce front aux
                  tempes trop larges, portant la marque des griffes de la
                  folie. Allez! ce n'est plus maintenant qu'un instrument
                  aux ordres de la peur.

L'Ami: Et sa sœur, Lady Madeline? Je sais qu'ils ne se sont jamais
                  quittés, que leur tendresse est grande ...

Le Médecin: On voit peu Lady Madeline. Que vous importe-t-elle?

(5) a) Tous malades et doués de manière incompréhensible — tous portant au front la marque
    des doigts de la folie.
    b) Tous des malades, quelques-uns artistes supérieurs (...). N'oubliez pas ce fait très
    remarquable: la transmission constante du nom et du patrimoine, de père en fils ... In-
    faillible moyen pour appauvrir la race, cher Monsieur, qui devait aboutir à un dégénéré
    comme celui que vous voyez là ... Ce n'est plus qu'un instrument aux ordres de la Peur.
    Aussi bien la peur de mourir que la peur de vivre!

Der Freund:	Roderick verlangt dringend nach mir. Er erhofft sich wohl von meiner Gegenwart ein wenig Aufheiterung, ein wenig Linderung von seinem unerträglichen Leiden ... Ich erkannte in seiner Bitte einen unverkennbaren Herzenston, der gegen etwas kämpft, sich gegen etwas wehrt – ich weiß nicht, gegen welche Ängste, welches Grauen.
Der Arzt:	Nun ja, die Sache ist aussichtslos ... Dieser Mann ist der letzte eines hochmütigen und stolzen Geschlechts. Alle seine Mitglieder stammen nur in direkter Linie voneinander ab, wollten sich stets nur mit ihrem eigenen Blut verbinden. Da konnte die Familie ja nur austrocknen. Im übrigen waren sie immer schon alle krankhaft, von irgend etwas besessen, verloren an absonderliche Wissenschaften ... Verrückte, glauben Sie mir, alles Verrückte![5]
Der Freund:	Ich kenne Roderick nur als einen begeisterten Idealisten, begeistert für die Kunst, für die Schönheit ...
Der Arzt:	Ihre Sache, wenn Sie das so sehen wollen. Für mich ist das alles nur die alte Sucht, Absonderliches aufzuspüren, die Sehnsucht nach dem Merkwürdigen und Seltsamen. Wie alle anderen konnte auch er dieser Sucht nicht entkommen. Wenn Sie ihn sehen, werden Sie sich selbst überzeugen können. Obwohl er noch jung ist, hat sein sprunghafter und unsteter Geist seinen schwachen Körper schon fast verzehrt. Sie werden es gleich selbst sehen. Irgend ein Wahn hat diese Stirn mit ihren viel zu breiten Schläfen fest im Griff. Dieser Mann ist nichts anderes als eine Marionette; er hängt wehrlos an den Fäden einer düsteren Angst, eines großen Grauens.
Der Freund:	Und seine Schwester, Lady Madeline? Ich weiß, daß sie nie voneinander gelassen haben; ihre Zärtlichkeit für einander ist groß.
Der Arzt:	Man sieht Lady Madeline nur selten. Das braucht Sie nicht zu interessieren.

[5] a) Alle sind krank und trotzdem auf merkwürdige Weise begabt, alle tragen das Zeichen des Wahnsinns auf ihrer Stirn.
b) Alles Kranke, einige hervorragende Künstler. Vergessen Sie nicht einen sehr wichtigen und bemerkenswerten Umstand. Sämtliche Mitglieder der Familie stammen in direkter Linie voneinander ab. Die ständige Vererbung von Namen und Erbgut vom Vater auf den Sohn ... Das ist ein absolut sicheres Mittel, ein Geschlecht auszudörren und armzumachen, das muß, mein Lieber, mit einem Degenerierten enden, wie Sie ihn hier vor sich sehen! Er ist nur noch eine Marionette der Angst. Es schaudert ihn zu sterben, und es schaudert ihn zu leben!

L'Ami: Vos manières sont étranges et je ne vous comprends pas,.
                    veuillez me répondre!!

Le Médecin: Ecoutez ... Lady Madeline est le doux commentaire de
                    notre étrange ami. Elle est si faible, si fragile! Les pierres
                    maléfiques de la Maison Usher ont fixé son destin. Peu-
                    à-peu, elles ont figé son pauvre sourire, ses yeux si doux.
                    Lady Madeline s'en ira comme les autres, plus vite que
                    les autres, peut-être! Et puis, c'est sa faute à lui, ce n'est
                    pas ainsi que l'on aime une soeur ...

L'Ami: Que voulez-vous dire?

Le Médecin: Je sais ... Si vous pouviez entendre cette voix qui semble
                    venir de plus loin qu'elle même. Souvent il lui fait chanter
                    des musiques à damner les anges. – C'est incompréhensible
                    et dangereux. Une femme n'est pas un luth, après
                    tout ...[6] Mais il ne veut rien voir, il ne sent pas que c'est
                    son âme à elle, qui s'en va avec le chant. Ah! pourquoi ne
                    veut-elle pas m'écouter, j'ai tout fait pour l'avertir, tout
                    tenté ... Elle est si belle ...

L'Ami: Quel délire vous prend? Menez-moi vers Roderick ...

Le Médecin: Taisez-vous, le voici ... ne vous montrez pas encore.

(6) Allusion évidente, de Debussy, à l'exergue en tête du conte d'Edgar Allan Poe:
        Son cœur est un luth suspendu;
        sitôt qu'on le touche, il résonne.
                (Béranger, Le refus)

Der Freund:	Warum weichen Sie mir so merkwürdig aus? Warum beantworten Sie mir nicht meine Fragen?
Der Arzt:	Nun gut. Lady Madeline ist so etwas wie ein Schlüssel, die heimliche Auflösung für das Rätsel unseres absonderlichen Freundes. Sie ist so schwach, so zerbrechlich, die unseligen Steine im Mauerwerk des Hauses Usher sind auch ihr Schicksal. Mehr und mehr haben diese Steine ihr leises Lächeln erstarren lassen ebenso wie ihre sanften Augen. Lady Madeline wird genauso enden wie alle anderen hier, sehr wahrscheinlich noch schneller. Und das ist nicht zuletzt sein Fehler. So wie er, liebt man nicht seine Schwester ...
Der Freund:	Was wollen Sie damit sagen?
Der Arzt:	Nun, wenn Sie ihre Stimme hören könnten, würden Sie es vielleicht verstehen. Diese Stimme scheint von fernher zu kommen, nicht von ihr. Oft läßt er sie eine Art von Musik machen, die einen Engel in die Hölle treiben könnte. Das, was er tut, ist nicht nur nicht zu verstehen, es ist auch sehr gefährlich. Eine Frau ist schließlich keine Laute ...[6] Doch er will von all dem nichts wissen. Er will nicht merken und begreift nicht, daß ihr mit dem Singen Leben und Seele entgleiten. Warum will sie nur nicht auf mich hören; ich habe alles getan, um sie zu warnen. Ich habe wirklich alles versucht ... Sie ist so schön.
Der Freund:	Sind Sie von Sinnen? Führen Sie mich zu Roderick ...
Der Arzt:	Still! Hier ist er ... Machen Sie ihn nicht auf sich aufmerksam.

[6] Hier spielt Debussy ganz offensichtlich auf das Motto an, das Edgar Allan Poe seiner Erzählung vorangestellt hat:
Son cœur est un luth suspendu;
sitôt qu'on le touche, il résonne.
                    (Béranger, Le refus)
Sein Herz gleicht der hängenden Laute;
rührst du sie nur an — sie erklingt.
                    (Béranger, Le refus)

2e SCENE[7]
Entre Roderick, les vêtements en désordre. Il regarde fixement devant lui,
et pourtant ses yeux semblent ne pas voir. Ses gestes sont brusques et
saccadés, sa voix rauque.

Roderick: Madeline ... Madeline ... tout à l'heure, je dormais. Mais
             j'ai entendu. Sa voix ... c'était sa voix, j'en suis sûr. – Il
             n'en est pas d'autre dans le monde ... Ah! je ne peux
             plus, je ne veux plus. Non, pas cela, ne plus voir cela ...
             Toujours s'endormir dans la fièvre pour se réveiller dans
             l'angoisse. Tourments sans fin, sans fin.

             (Il va s'appuyer près d'une fenêtre).

             Vieilles pierres. Pierres blafardes, qu'avez vous fait de
             moi? Du jour qui s'en va au jour qui revient je vous
             appartiens. Et vous le savez, et chaque jour votre étreinte
             m'enserre davantage. Et maintenant je vous ressemble, les
             heures me rongent comme vous les pluies d'hiver. [Pour-
             quoi cet obscur châtiment à des fautes que je n'ai pas
             commises? ... Qu'ai-je fait?] Pierres mauvaises, vos figures
             blêmes pesaient déjà sur mon enfance (quelques mots ra-
             joutés en bas de page, dont: glaçaient les fous-rires et les
             fleurs). Pourtant, le jour où ma mère mourut, j'ai ris ...
             oui ... j'ai osé rire! Vous n'avez pas compris cette joie
             étrange de la voir délivrée enfin de notre odieux sortilège
             ... Vous n'avez pas entendu mes sanglots, vous n'en avez
             pas eu pitié.
             Vos mains d'ombre ont tissé sans relâche ce lourd manteau
             verdâtre qui s'étend et qui étouffe comme une lèpre
             hideuse. Ah! j'ai soif de vivre ... J'ai soif de lumière ... –
             le soleil ne pénètre ici que pour y mourir. Laissez-moi

---

(7) Au début de la 1e scène, la 1e version connaît des variantes qui font précéder le début de la
     2e scène à celui de la 1e.
     1e Scène:
     a) R. U. (qu'on ne voit pas) étendu sur un canapé. Madeline! Madeline!//Monologue —
     établir un parallèle entre les pierres et les ancêtres, tous morts sans laisser d'enfants —
     terreur des pierres — âme ténébreuse et grise.
     b) R. U. (qu'on ne voit pas) étendu sur un canapé, à droite. Lointaine et maladive, on
     entend la voix de Lady Madeline (trois strophes du Palais Hanté) Vers la fin, elle traverse
     le fond de la scène.

2. Szene[7]

(Roderick tritt ein. Seine Kleidung ist in Unordnung. Er blickt starr vor sich hin, man hat aber den Eindruck, als würde er überhaupt nichts sehen. Seine Gesten sind brüsk und hektisch, seine Stimme heiser.)

Roderick: Madeline ... eben schlief ich, aber ich hörte ihre Stimme ... Ja, es war ihre Stimme, ich bin sicher. – Es gibt auf der ganzen Erde keine andere ... Oh, ich kann nicht mehr, ich will nicht mehr. Nein ... nicht das, das nicht sehen ... Im Wahn einschlafen und im Fieber erwachen. Qual ohne Ende, ohne Ende ...

(Er sucht Halt in der Nähe eines Fensters.)

Oh, ihr alten Steine im Mauerwerk dieses Hauses, ihr fahlen, bröckligen Steine, was habt ihr aus mir gemacht? Die Tage gehen, die Tage kommen, und immer gehöre ich euch. Mit jedem Tag schließt ihr mich mehr in euren Mauern ein, haltet ihr mich strenger gefangen. Der Regen im Winter höhlt euch aus, macht euch zerbrechlich. Mir geht es schon ganz so wie euch. [Warum diese unleidlich düstere und schlimme Strafe für Dinge, die ich nicht begangen habe? ... Was habe ich getan?]

Oh, ihr düsteren, schlimmen Steine, leichenblaß und fahl lastet ihr auf mir seit meiner Kindheit. (Einige hinzugefügte Worte auf der unteren Seite des Manuskriptes: Ihr machtet alles erstarren, die Blumen und das Gelächter der Irren).

Aber als meine Mutter starb, da lachte ich, an diesem Tage wagte ich zu lachen. Ihr Steine habt meine Freude nicht verstanden, meine Freude darüber, sie endlich erlöst zu sehen aus dem Bann eures widerwärtigen Zaubers. Auch mein Schluchzen habt ihr nicht gehört, ihr habt ja kein Mitleid.

Oh ihr Steine, ohne Ende webt ihr euren grünlichen Mantel um mich herum, der sich ständig ausbreitet und alles um sich herum tötet wie ein greulicher Aussatz. Ich dürste nach Leben ... ich dürste nach Licht. Doch hier dringt die Sonne nur ein, um zu sterben. Laßt mich gehen, ihr Steine,

---

[7] Für den Beginn der 1. Szene gibt es in der 1. Version einige Varianten, die den Beginn der 2. Szene der 1. Szene voranstellen.
Szene 1:
a) Roderick, den man nicht sieht, ist auf einem Sofa ausgestreckt: »Madeline, Madeline ...!« Monolog — eine Parallele schaffen zwischen dem Mauergestein und den Ahnen der Familie. Alle tot, ohne Nachkommen — der Schrecken der Steine — Seele, düster und grau.
b) Roderick, den man nicht sieht, rechts auf einem Sofa ausgestreckt. Entfernt und krank hört man die Stimme der Lady Madeline. Drei Strophen aus dem Lied vom »Geisterschloß«. Gegen Ende überquert sie den Hintergrund der Bühne.

partir, ne me retenez pas encore ... Non! non! taisez-vous, je ne veux plus entendre votre plainte, plainte sang-lotante de tous ceux qui sont venus mourir ici, attirés par vous, pierres de deuil ... »Reste! reste ... meurs ici« ... Taisez-vous, j'obéirai.

Il fait froid, le brouillard monte ... Qu'y-a-t'il là-bas ... près des joncs grisâtres? Quelqu'oiseau perdu? Voici qu'il traverse le brouillard en l'agitant comme une main funèbre ...[8]. Ah! je te reconnais ... tu étais là quand ma mère me donna son dernier baiser. Que veux-tu aujourd'hui? Quel tribut de mort viens-tu réclamer? – Serait-ce toi Madeline? sœur trop aimée, seule compagne de ma vie. Ah! ses lèvres sur mon front comme un parfum qui rafraîchit ... ses lèvres qui tentent comme un fruit inconnu où ma bouche n'a jamais osé mordre! Ne sais-tu pas, oiseau de malheur, que si tu me la prends, plus rien ne me reste!

Ne sais-tu pas qu'elle est ma seule raison de ne point mourir! Ah! vieux murs! n'aurez-vous pas pitié?[9] En-tourez-moi! Montez autour de moi comme une marée de pierres ... Défendez-moi que je n'entende plus ce bruit (barré: d'ailes) sinistre ... Ne laissez pas entrer les ailes de la mort ... Entendez-vous? entendez-vous? Elles vien-nent, elles viennent sur moi! les ailes noires! ... Je n'y crois plus ... j'ai peur ... j'ai peur!

(L'ami que retient en vain le médecin se précipite vers Roderick)

Le Médecin: Ne vous effrayez pas, je l'ai souvent trouvé ainsi ... Il n'est pas sans danger de l'éveiller en ce moment, croyez-moi, nous n'y pouvons rien.

L'Ami: Allez-vous-en!

(Le médecin après un geste d'ironique commisération se retire par la porte fenêtre)
Roderick! Roderick, mon ami ...

(8) Ses larges ailes battent, comme si c'était la respiration du temps.
(9) Votre âme n'est-elle faite que d'affreux silence? Faut-il qu'un dieu vous parle pour vous émouvoir ...

haltet mich nicht länger gefangen. Ich will nicht länger all das Klagen, all das Schluchzen hören von denen, die hierher kamen, um hier zu sterben, angezogen und gebannt von euch Mauersteinen der Trauer und des Todes: »Bleib, bleib ... stirb hier« ... Ja, ich höre eure Rufe. Schweigt! ich werde gehorchen.

Es ist kalt. Der Nebel steigt ... Was ist das dort unten ... dort bei dem gräulichen Röhricht? Was für ein verlorener Vogel! Er durchschneidet den Nebel, schiebt ihn beiseite wie der Totengräber den Sand mit seiner Schaufel[8]. Ja, ich erkenne dich wieder. Du warst schon einmal hier, damals, als mir meine Mutter ihren letzten Kuß gab. Was willst du, Vogel, heute? Welchen Tribut forderst du jetzt? Sollst du es sein, Madeline, du, meine zu sehr geliebte Schwester, du einzige Gefährtin meines Lebens? Ihre Lippen auf meiner Stirn, welch herrlicher, erfrischender Duft! Oh, ihre Lippen, sie versuchen mich wie eine seltsame und unbekannte Frucht, und doch wage ich es nicht, von dieser Frucht zu kosten. Weißt du, du Unglücksvogel, daß mir nichts bleibt, wenn du sie mir nimmst? Weißt du, daß sie allein mich hindert zu sterben? Ihr alten grauen Mauern, habt ihr denn kein Mitleid?[9] Umschließt mich, ihr Mauern! hüllt mich ein und verteidigt mich! Damit ich es nicht hören muß, dieses unheilvolle Geräusch (gestrichen: dieses Geräusch schwingender Flügel). Laßt die Schwingen des Todes nicht durch euch hindurch. Hört ihr, ihr Mauern? Hört ihr? Sie kommen näher, die schwarzen Schwingen. Sie nahen, sie nahen! Ach, ich kann nicht an eure Hilfe glauben. Ich habe Angst. Mich ergreift Schaudern und Grauen.

(Der Freund, den der Arzt vergeblich zurückhält, stürzt sich auf Roderick.)

Der Arzt: Erschrecken Sie nicht, so habe ich ihn schon oft erlebt. Es ist nicht ungefährlich, ihn in diesem Zustand zu wecken. Glauben Sie mir, wir können hier nichts tun.

Der Freund: Gehen Sie!
                (Der Arzt geht mit einer Geste, halb Mitleid, halb Spott, durch die Gartentür ab.)
                Roderick, Roderick, mein Freund ...
                (Roderick öffnet die Augen und betrachtet die Ebenholz-

---

[8] Seine weiten Flügel schlagen als seien sie der Atem der Zeit.
[9] Seid ihr nichts anderes als fürchterliches Schweigen? Muß ein Gott zu euch sprechen, um euch zu erschüttern ...

(Roderick ouvre les yeux, regarde la porte noire, puis son ami penché sur lui, et, se lève sans effort apparent)

Roderick: Vous ... c'est vous ...!
(Ils se jettent dans les bras l'un de l'autre)
J'avais tant besoin de vous voir ...
(Roderick prend une attitude d'emphatique cordialité –
purement automatique, car elle redeviendra vive et indo-
lente alternativement)
Soyez le bienvenu dans la vieille maison Usher. Excusez-
moi, j'aurais du aller à votre rencontre, les chemins sont
mauvais, (barré: pour accéder jusqu'ici) peu connus, et
vous n'auriez trouvé personne pour vous guider. – Les
gens ont peur de cette maison ... Des flambeaux ... Allu-
mons les flambeaux ... c'est à peine si je vous vois!

L'Ami: Cher Roderick ... je n'ai eu besoin de personne, Dieu
merci! Et maintenant, faites ce qu'il vous plaira d'une
vieille amitié, toute dévouée. Vous souvenez-vous?

Roderick: C'est vrai, nous avons joué, travaillé ensemble. Vous aviez
su comprendre et aimer l'enfant qui déjà ne savait que
rêver! Vous aviez su pardonner au trop brusques écarts
d'un caractère fantasque, hélas! irrésolu ... –

L'Ami: Roderick, que dites-vous là?

Roderick: Vous revoir, me fait penser aux événements qui ont dirigé ma vie ... que de jours, mornes et lents où j'assistais,
impuissant témoin, à la double ruine de ma maison et de
moi-même ... Cette maison où l'on dirait que pas un être
n'a osé remuer! et d'où la joie s'en est allée, comme s'en
est éteinte l'antique splendeur ...

(Il frissonne en cherchant nerveusement à réparer le
désordre de sa tenue)

L'Ami: Qu'avez-vous?

Roderick: Ce soir, j'ai trop respiré le brouillard qui monte de tür. Dann sieht er seinen Freund, der sich über ihn beugt, und erhebt sich ohne sichtbare Anstrengung.)

Roderick: Du! Du bist es ...!
(Die Freunde umarmen sich.)
Ich hatte so großes Verlangen, Dich zu sehen ...
(Roderick gibt sich betont herzlich, aber in seinem Verhalten liegt etwas Mechanisches und äußerst Wechselhaftes. Unversehens und in ständiger Veränderung sind seine Gebärden mal lebhaft, mal träge.)
Herzlich willkommen im alten Hause Usher! Entschuldige, daß ich Dir nicht entgegengekommen bin. Die Wege hier sind schlecht (gestrichen: um bis hierher zu kommen). Sie sind kaum bekannt, und Du hättest wohl schwerlich jemanden gefunden, Dich hierher zu führen. Die Leute fürchten dieses Haus ... Wir brauchen Licht. Zünden wir die Leuchter an. Ich kann Dich ja kaum sehen.

Der Freund: Mein lieber Roderick, sei unbesorgt. Ich brauchte niemanden, Gott sei Dank! Du weißt, ich bin Dir immer ein treuer und guter Freund gewesen. Du kannst mit mir machen, was Du willst. Das weißt Du doch oder?

Roderick: Es ist wahr, wir haben zusammen gespielt und gearbeitet. Du hast es verstanden, das Kind, das schon damals nur träumen konnte, zu verstehen und zu lieben. Du warst bereit, die bizarren Verirrungen eines sprunghaften und launenhaften Charakters zu ertragen und zu verzeihen...

Der Freund: Aber Roderick, was sagst Du da ...

Roderick: Dich wiederzusehen, das bedeutet, sich erinnern an all die Ereignisse, die mein Leben bestimmt haben. An all die vielen eintönigen und langen Tage, die mich zum Zeugen machten eines doppelten Zerfalls, zum Zeugen meines eigenen Ruins und dessen meines Hauses. Oh, dieses Haus, wie sehr hat es uns alle beherrscht. Hier hat noch nie einer gewagt, etwas von sich aus zu tun. Hier gibt es keine Freude mehr, hier ist der alte Glanz erloschen.
(Roderick erschaudert und nestelt in übergroßer, nervöser Erregtheit an der Unordnung seiner Kleidung.)

Der Freund: Was hast Du?

Roderick: Ich habe heute abend etwas zuviel Nebel eingeatmet. Er

l'etang, – à en croire les paysans: il est funeste ... Peut-
être ont-ils raison?
(A l'ami qui a été fermer la fenêtre)
Merci, cela va mieux. Pardonnez-moi de vous avoir de-
mandé de venir partager tant de tristesse ... Vous êtes
mon ami, – mon seul ami, je ne l'ai point oublié! On
n'oublie rien ici! Regardez-moi ... regardez ce que le souvenir a fait de moi, j'ai l'air d'un vieillard.

L'Ami: Voyons, Roderick, vous êtes jeune, vous pouvez encore
échapper à ce qui vous entoure. Partez, de nouveaux pay-
sages peuvent changer vos pensées. Si la joie a déserté
votre maison, ne la croyez pas à jamais disparue. Ayez
la force de la retrouver: elle vous attend dans quelque
coin du monde, en robe de fête, les bras chargés de caresses,
comme une mère longtemps privée de son enfant. Partez...

Roderick: Croyez-vous donc que je n'ai jamais essayé ...? J'étais
seul, las de souffrir, las d'attendre une mort trop patiente
... La fièvre coulait dans mes veines comme un feu subtil,
mettant en moi le courage d'une résolution maintes fois
caressée. Alors, blême comme un voleur, les jambes brisées
par la crainte, je m'enfuis ... A peine avais-je franchi le
seuil qu'une invincible force me contraignit à me retour-
ner: les vieilles pierres étincelaient ainsi que d'innom-
brables regards chargés de reproches ... Elles regardaient
cette fuite ... j'entendais leurs voix persuasives et tyranni-
ques: »Reste! Reste! Nulle pierre dans le monde ne ber-
cera plus doucement ton dernier sommeil ... Reste! Reste!
meurs ici«. Plus jamais je n'ai osé les quitter.

L'Ami: C'est la fièvre qui vous donnait le singulier pouvoir de
les entendre. Lorsque vous serez loin, vous oublierez bien
vite...

Roderick: Taisez-vous, si vous m'aimez ... Oh! ne pouvez-vous me
comprendre? Ce n'est pas en vain que mes ancêtres
souffrirent, aimèrent dans cette maison!

steigt draußen vom Teich auf ... Wenn man den Bauern glauben darf, ist er unheilvoll. Vielleicht haben sie recht. (Der Freund schließt das Fenster. Roderick wendet sich ihm zu.)
Danke. So ist es besser. Entschuldige bitte, daß ich Dich gebeten habe, hierher zu kommen, um all meine Traurigkeit mit mir zu teilen ... Du bist mein Freund, mein einziger. Ich habe Dich nie vergessen. Hier in diesem Hause vergißt man nichts. Schau mich nur an ... Sieh, was die Vergangenheit aus mir gemacht hat. Ich bin schon ein Greis.

Der Freund: Aber Roderick, Du bist jung. Du kannst doch alles, was Dich hier umgibt, einfach verlassen. Verreise! Andere Länder werden Dich auf andere Gedanken bringen. Die Freude hat Dein Haus verlassen, aber doch nicht zugleich auch alles andere und für immer. Sei mutig und suche sie wieder. Sie erwartet Dich irgendwo, an irgend einer Ecke, in festlichen Kleidern, beladen mit Liebkosungen wie eine Mutter, die zu lange getrennt lebte von ihrem Kind. Oh Roderick, geh weg von hier ...

Roderick: Glaubst Du, ich hätte das nie versucht? Ich war allein, war es müde zu leiden, müde, einen zu geduldigen Tod zu erwarten. Das Fieber brannte in meinen Adern wie ein heiliges Feuer und gab mir den Mut zu heimlich immer wieder ersehnten Entschlüssen. Doch dann flüchtete ich bleich und schwach wie ein Dieb, dem das Grauen die Beine lähmt. Kaum stand ich an der Schwelle des Hauses, hielt mich eine unüberwindliche Kraft zurück. Die Steine funkelten aus ihrem Mauerwerk, schauten mich voller Vorwürfe an. Die Steine bewachten meine Flucht. Ich hörte ihre verführenden und herrschsüchtigen Rufe: »Bleib! bleib! Kein Stein auf dieser ganzen Erde wird Dich sanfter in den letzten Schlaf wiegen. Bleib! bleib! stirb hier!« Niemals wieder habe ich es gewagt, den Steinen dieses Mauerwerks hier nicht zu gehorchen.

Der Freund: Die merkwürdige Phantasie, ihre Sprache zu verstehen, verlieh Dir das Fieber. Wenn Du weit von hier weg bist, wirst Du alles sehr schnell vergessen ...

Roderick: Wenn Du mich gern hast, schweig! Kannst Du mich denn nicht verstehen? Meine Ahnen haben in diesem Hause gelitten und geliebt. Und das nicht umsonst. Durch sie,

Par eux, par la trace légère ou profonde qu'ils y laissèrent
se formait lentement l'âme dominatrice des pierres qui,
depuis des siècles, semble avoir dirigé nos destinées, et à
laquelle, moi, dernier de la race, il faillait que j'obéisse?
Qui pourrait imaginer ce qu'elle apporta de terreur, sans
cesse accrue, du moindre événement, de l'incident le plus
vulgaire? Sentez cette atmosphère de chagrin. Cette mé-
lancolie âpre (barré: profonde) qui a eu raison de cœurs
mieux trempés que le mien! (Barré: Tenez) Regardez
cette déchirure, à peine visible, // traçant sa route à travers les murs, elle va se perdre dans les eaux de l'étang
. . . // Depuis longtemps j'observe son travail obstiné, qui,
traçant sa route (barré: d'un doigt patient) à travers les
murs, va maintenant se perdre dans les eaux de l'étang.
Eh bien! c'est la plaie secrète qui creuse mon cœur, et
par laquelle s'en iront à la fois ma vie et ma raison.

L'Ami: Roderick! Roderick!

Roderick: C'est aussi par elle qu'est entré la Peur . . . Ah! ne ren-
              contrez jamais ce spectre livide! ce compagnon des nuits
              sans sommeil . . . Il n'existe pas de tortures pareilles!
              (barré: cela n'existe pas! pourtant cela est). Des mains
              (barré: affreuses – invisibles) vous prennent par la nuque,
              vous traînent à travers l'Invisible! Lutte affreuse, lutte
              sourde dans les plaines de ténèbres d'où l'on revient les
              membres brisés.
              Un jour viendra où plus rien ne me défendra, – pas même
              ma triste sœur, pauvre Madeline! Je ne pourrai plus, je
              mourrai de cette plaie, je mourrai de cette lutte, je mour-
              rai du passé de la Maison Usher!
              (Il sanglote désespérément)

L'Ami: Oh! ne pleurez pas . . . N'écoutez pas le conseil de ceux
              qui ne sont plus . . .[10]

Roderick: Eux seuls savent pourtant que je ne peux plus vivre . . .
              (Il sort comme un fou par la petite porte)

(10) (. . .) cherchons quelque apaisement . . . voici vos livres, j'en reconnais un lequel vous
aimiez jadis à discuter: — Le voyage souterrain de Holberg; La cité du soleil de Cam-
panella. Oh quel est celui-ci? — R. U.: un antique et curieux bouquin de savoir oublié (. . .).

durch die leichten, aber tiefen Spuren, die sie hinterließen, begannen die Gesteine des Mauerwerkes zu leben und zu herrschen. Seit Jahrhunderten schon haben sie unsere Schicksale gelenkt. Auch ich als letzter des Geschlechts muß mich ihnen fügen. Man kann sich nicht vorstellen, welch ständig wachsendes Grauen sie mit sich bringen, in jedem Augenblick, bei jeder Kleinigkeit. Ahnst Du nicht ihre Aura von Leiden, von rauher (gestrichen: tiefer) Melancholie? Sie haben selbst Herzen betroffen gemacht, die besser gewappnet waren als das meine. Hier, sieh diesen Riß! Er ist kaum wahrnehmbar // und doch findet er seinen Weg im Zickzack quer über die Mauern, um sich draußen in den dumpfen Wassern des Teiches zu verlieren // Seit langem beobachte ich seine hartnäckige Arbeit, mit der er seinen Weg (gestrichen: geduldig) im Zickzack quer durch die Mauern zeichnet, um sich schließlich draußen im dumpfen Wasser des Teiches zu verlieren. Das ist es, das ist die geheime Wunde, die mein Herz austrocknet, durch die ich mein Leben und meine Vernunft verliere.

Der Freund: Roderick! Roderick!

Roderick: Mit ihr kam auch das Grauen. Oh, ich wünsche Dir niemals, diesem leichenblassen Schreckgespenst zu begegnen, diesem Begleiter schlafloser Nächte ... Es gibt keine vergleichbaren Qualen (gestrichen: es existiert nicht und ist doch). Hände (gestrichen: scheußliche, unsichtbare) packen Dich im Nacken, zerren Dich ins Unsichtbare! Welch elender, stummer Kampf in der endlosen Weite eines schrecklichen Dunkels ... Man kehrt zerschlagen zurück. Eines Tages wird niemand mehr mich hier verteidigen, nicht einmal mehr meine traurige Schwester, meine arme Madeline. Und dann bin ich wehrlos, muß ich an dieser Wunde sterben, an diesem Kampfe sterben, an der Vergangenheit des Hauses Usher!
(Er schluchzt verzweifelt.)

Der Freund: Oh, weine nicht, höre nicht auf jene, die es nicht mehr gibt ...[10]

Roderick: Sie allein wissen, daß ich nicht mehr leben kann ...
(Er verschwindet wie ein Irrer durch die kleine Tür an der Gobelinwand.)

---

[10] Suchen wir etwas Beruhigung. Hier sind Deine Bücher. Ich erkenne eines wieder, über das Du schon immer zu diskutieren liebtest: Holbergs »Unterirdische Reise«; Campanellas »Sonnenstaat«. Was ist das hier für ein Buch? Roderick: Ein altes, sonderbares Buch vergessenen Wissens.

L'Ami: Roderick, où allez-vous? il ne faut pas.

Le Médecin: (Survenant par la porte fenêtre. Il reste sur le seuil)
                  Laissez-le ... venez ici. Ce que je craignais est arrivé, je
                  vous l'avais bien dit ...

L'Ami: Quoi! vous ne voulez pas dire ...

Le Médecin: Si, elle est morte ...

L'Ami: Lady Madeline?

Le Médecin: Oui!

L'Ami: Où est-elle?

Le Médecin: Ici ...
                  (Il désigne le milieu du plancher)
                  Elle est rentrée tout à l'heure de sa promenade habituelle
                  ... Nous l'avons trouvée étendue devant l'escalier qui
                  monte à sa chambre. Hélas, morte ... Nous l'avons trans-
                  portée dans un caveau qui, – étrange hasard, donne
                  exactement sous le plancher de cette chambre.

L'Ami: Pourquoi tant de hâte?

Le Médecin: (Barré: il fallait éviter un acte de [violence?])
                  Il fallait agir vite ... Songez à ce qui aurait pu se passer
                  si Roderick avait pu la voir? Sa folie aurait-elle su respec-
                  ter la mort?

L'Ami: Croyez-vous l'avoir respectée vous-même? Par quel droit
                  agissez-vous ainsi?

Le Médecin: Que vous importe ...! (barré: il fallait vite agir) Pour
                  arriver à ce caveau il faut traverser un long vestibule dont
                  les parois sont revêtues de cuivre. La porte de fer massif
                  est difficile à remuer sans bruit. A chaque grincement, je
                  craignais qu'il ne survienne ...

L'Ami: Il faudra pourtant que Roderick apprenne ...

Le Médecin: Je sais ... Attendons ... il sera toujours temps ... quittez

Der Freund:	Roderick, wohin gehst Du? Man soll nicht ...
	(Der Arzt tritt plötzlich durch die Gartentüre auf. Er bleibt an der Schwelle stehen.)
Der Arzt:	Lassen Sie ihn! Kommen Sie zu mir. Das, was ich befürchtet habe, ist geschehen. Ich hatte es Ihnen ja gesagt.
Der Freund:	Was? Sie wollen doch nicht sagen ...
Der Arzt:	Ja, sie ist tot.
Der Freund:	Lady Madeline?
Der Arzt:	Ja.
Der Freund:	Wo ist sie?
Der Arzt:	Hier. (Er zeigt mitten auf den Fußboden.) Sie kam wohl eben von ihrem üblichen Spaziergang zurück. Wir haben sie vor der Treppe, die zu ihrem Zimmer hinaufführt, gefunden. Tja ...! Wir haben sie in eine Gruft gebracht; sie liegt – merkwürdig – genau unter dem Fußboden dieses Zimmers.
Der Freund:	Warum diese Eile?
Der Arzt:	(gestrichen: man mußte einen Gewaltakt vermeiden) Es mußte schnell gehandelt werden. Denken Sie daran, was geschehen wäre, wenn Roderick sie gesehen hätte? Hätte sein Wahn den Tod geachtet?
Der Freund:	Und Sie? Haben Sie selbst Achtung vor ihm gehabt? Wer gab Ihnen das Recht, so zu handeln?
Der Arzt:	Was kümmert das Sie? (gestrichen: man mußte schnell handeln). Um zu der Gruft zu gelangen, muß man eine lange Halle durchqueren. Die Wände sind mit Kupfer verkleidet. Die Tür aus Eisen ist nur schwer zu bewegen, ohne daß es Lärm gibt. Bei jedem Knirschen fürchtete ich, er könnte eintreten.
Der Freund:	Aber Roderick muß es doch erfahren ...
Der Arzt:	Ich weiß, aber warten wir erst einmal ab. Es ist später

cette maison ... L'air qu'on y respire est mauvais pour un homme comme vous; d'ailleurs, vous aurez pu le constater, votre dévouement est inutile. Partez avant que ce sombre maniaque n'ait fait une victime de plus ... Venez!

L'Ami: La mort inexplicable de sa sœur va le laisser encore plus seul, je ne puis l'abandonner!

Le Médecin: Oh! vous m'oubliez ... je l'assisterai comme les autres ... (A part) J'espère encore avoir ma récompense ...

L'Ami: Il me semble l'entendre ... Laissez-moi.

Le Médecin: Soit! ... mais rappelez-vous! si vous parlez, vous achèverez celui-là, le dernier des Usher! Antique race ... pauvre race ...
(Il sort. Roderick entre, il tient un volume entre ses mains. Il chante, à voix très basse, la mélodie que chantait Lady Madeline au commencement de l'acte. Le calme de son allure est inquiétant)

Roderick: »Dans la plus verte de nos allées
par de bons anges habitée«
C'est ainsi qu'elle chante ... Comme sa voix est en moi!
(Se tournant vers son ami)
Ah! vous êtes là ... n'avez-vous pas rencontré Lady Madeline en venant ici? Quoique très faible, elle se promène souvent dans ce parc malgré ma défense, près de l'étang, miroir d'eau poli qui attire mystérieusement le regard.

L'Ami: Votre médecin vient justement ...

Roderick: Le médecin dévoué de la famille Usher ...! Ah! ah! il croit que je ne vois rien ... il me croit tout à fait fou ... Il voudrait que je meure, et me surveille comme un corbeau avide. Il attend.[11]

---

(11) Ah! oui! la sinistre figure ... vous voulez dire le médecin de la mort, sous le triste prétexte d'avoir aidé ma mère à mourir, il (s'obstine) à rester ici ... Il est toujours à rôder autour de nous ... Il nous surveille comme un vieux corbeau avide de chair morte!

auch noch Zeit. Warten wir erst einmal ab. Ich will Ihnen einen Rat geben, mein Lieber: Verlassen Sie dieses Haus. Die Luft, die man hier atmet, ist für einen Mann wie Sie nur schädlich. Und inzwischen wird es Ihnen wohl auf-gegangen sein, daß Ihr ganzer Einsatz völlig sinnlos ist. Reisen Sie also ab, bevor dieser Finster-Besessene sein nächstes Opfer findet. Kommen Sie!

Der Freund: Der rätselhafte Tod seiner Schwester wird ihn noch ein-samer machen. Ich kann ihn nicht verlassen.

Der Arzt: Mein Lieber, vergessen Sie mich nicht! Wie all den anderen, werde ich auch ihm zur Seite stehen. (für sich) Meinen Lohn für all das werde ich schon noch erhalten.

Der Freund: Mir scheint, ich höre ihn kommen ... Lassen Sie mich.

Der Arzt: Nun gut. Aber denken Sie daran, wenn Sie ihm jetzt alles enthüllen, vernichten Sie ihn, den Letzten des Hauses Usher! Den Letzten dieses alten elenden Geschlechtes! (Der Arzt geht hinaus. Roderick tritt ein. Er hält ein Buch in seinen Händen. Er singt mit sehr leiser Stimme die Melodie, die Lady Madeline zu Beginn sang. Seine Ruhe scheint beängstigend.)

Roderick: »In dem grünsten unsrer Täler
guter Engel stete Rast«
So singt sie ... Wie doch ihre Stimme in mir ist.
(sich an seinen Freund wendend)
Ach, Du bist da. Hast Du nicht Lady Madeline gesehen? Sie ist sehr schwach, aber trotz meines Verbotes geht sie häufig im Park spazieren, in der Nähe des Teiches mit seinem glänzenden Wasserspiegel, der auf geheimnisvolle Weise eine merkwürdige Anziehungskraft ausübt.

Der Freund: Dein Arzt hat gerade ...

Roderick: Der treue und ergebene Arzt der Familie Usher! Er glaubt, ich würde nichts bemerken, weil er mich für ganz und gar verrückt hält ... Es würde ihm sicher gefallen, wenn ich stürbe. Er beobachtet mich wie ein gieriger Rabe und wartet[11].

---

[11] Oh, dieses finstere Gesicht ... Der Arzt des Todes besteht darauf hierzubleiben. Er hatte schon die traurige Ehre, meiner Mutter in ihrer grauenhaften letzten Stunde beizustehen ... Er beobachtet uns alle wie ein alter gieriger Rabe, gierig auf totes Fleisch.

L'Ami: Que supposez-vous?

Roderick: Je crois qu'il ose aimer Madeline, – aimer Madeline …
                  lui, ce fossoyeur …! Vous êtes sûr de ne pas l'avoir ren-
                  contrée? Peut-être l'avez-vous trouvée très malade et
                  craignez-vous de me le dire? Je sais qu'elle est trop frêle,
                  qu'elle ne veut plus voir personne … Je sais que, pour son
                  bonheur, il eut fallut qu'elle s'éloigne de moi. Elle a tou-
                  jours voulu rester! Et puis, – je ne pourrais jamais ne plus
                  l'entendre: Quand elle chante, l'ombre s'illumine, un par-
                  fum plus fort, plus durable que celui des fleurs monte avec
                  le chant, et les anges de la mort, un doigt sur leurs lèvres,
                  se retirent émerveillés … Voyons, vous avez du la voir?

L'Ami: Pourquoi ne vous l'aurais-je pas dit?

Roderick: C'est vrai, vous avez raison – vous ne pouvez savoir …
                  Ecoutez …! n'entendez-vous pas?

L'Ami: Non …

Roderick: Tenez, j'ai retrouvé cet antique et curieux bouquin de
                  savoir oublié. Il y est parlé des anciens satyres africains et
                  des Aegipans … Pendant des heures, j'ai rêvé sur la musi-
                  que qui devait accompagner leurs étranges cérémonies …
                  Lisez … ici … ne croirait-on pas entendre comme une
                  danse funèbre et passionnée?
                  (Pendant qu'ils lisent, on entend – vaguement – la musi-
                  que qu'imagine R. U. Mais bientôt celui laisse tomber le
                  livre et regarde (barré: fixement) devant lui avec cette
                  troublante fixité qu'il avait dès le commencement. Il se
                  dirige vers la fenêtre)
                  Il faut que je sache, je ne puis supporter cela.

L'Ami: Roderick, vous ne pouvez sortir … (barré: je crois que)
                  l'orage approche, les nuages pèsent lourds et bas dans le
                  ciel … ils sont serrés l'un contre l'autre comme les bêtes
                  peureuses.

Roderick: (Après un silence et après avoir regardé [barré: autour de
                  lui] son ami)

Der Freund: Was willst Du damit sagen?

Roderick: Ich glaube, er wagt Madeline zu lieben. Madeline lieben,
                 er, dieser Totengräber! Bist Du sicher, daß Du sie nicht
                 gesehen hast? Vielleicht fandest Du nur, daß es ihr sehr,
                 sehr schlecht geht und fürchtest Dich nun, es mir zu sagen?
                 Ich weiß, daß sie sehr gebrechlich ist, so sehr, daß sie nie-
                 manden mehr sehen will ... Ich weiß auch, daß sie sich um
                 ihres Glückes willen von mir hätte fernhalten müssen.
                 Aber sie wollte immer bleiben! Und dann, wenn sie ge-
                 gangen wäre, hätte ich sie niemals mehr singen hören.
                 Wenn Madeline singt, hellt sich die Düsternis hier auf.
                 Mit ihrem Gesang kommt ein Duft, der stärker und durch-
                 dringender ist als der von allen Blumen. Wenn Madeline
                 singt, ziehen sich die Engel des Todes, den Finger auf ihren
                 Lippen, entzückt zurück. Du hast sie doch gesehen oder?

Der Freund: Warum sollte ich Dir es verschweigen?

Roderick: Das ist wahr, Du hast recht ... Du weißt ja nicht ... Höre!
                 Hörst Du nichts?

Der Freund: Nein.

Roderick: Sieh, dieses alte, sonderbare Buch vergessenen Wissens. Ich
                 habe es gerade wiedergefunden. Man kann darin von
                 alten afrikanischen Satyrn und Hirtengöttern lesen.
                 Stundenlang habe ich von der Musik geträumt, die ihre
                 bizarren Spiele und Riten begleitet haben mögen ... Lies
                 hier ... Hörst Du ihren traurigen und leidenschaftlichen
                 Totentanz?
                 (Während beide lesen, hört man andeutungsweise die
                 Musik, die Roderick Usher vorschwebt. Aber bald läßt
                 dieser das Buch fallen und starrt [gestrichen: gebannt] vor
                 sich hin mit jener beängstigend mechanischen Marionetten-
                 haftigkeit, die ihn von Anfang an kennzeichnete. Rode-
                 rick wendet sich dem Fenster zu.)
                 Ich muß es wissen. Ich kann es nicht ertragen.

Der Freund: Roderick, Du darfst nicht hinausgehen ... (gestrichen: ich
                 glaube, daß ...) Es naht ein Sturm. Die Wolken pressen
                 sich zusammen wie eine ängstliche Herde. Sie lasten blei-
                 schwer und tief am Himmel.

Roderick   (nach einer Zeit des Schweigens und nachdem er starr

Et vous n'avez vu cela ... attendez, vous le verrez.
(Il va ouvrir la fenêtre)

Regardez cette clarté ... linceul lumineux qui enveloppe
l'étang ... Et lui! l'oiseau maudit, l'oiseau de malheur,
il est là ... il ne vole plus ... Le voyez-vous?

L'Ami: Roderick, vous ne regarderez pas ... il n'y a rien d'autre
que l'orage ... l'air est glacé, dangereux pour vous.

(A part) Que faire? Que faire?
(A Roderick qu'il a ramené près du divan avec une douce
violence)

Voici notre roman favori ... je vous lirai cette belle
légende – du chevalier et de l'ermite ...

Roderick: Non! non! laissez-moi ... allez vous reposer. Cette nuit
n'est pas plus dangereuse que toutes les autres!

L'Ami: Cette nuit est terrible et nous la passerons ensemble,
écoutez-moi! »Sire Ulrich[12], cœur vaillant par nature,
maintenant très fort aussi par la vertu magique du vin
herbé qu'il avait bu, n'attendit pas plus longtemps pour
parlementer avec l'ermite, en vérité malicieux et obstiné.
Mais craignant la tempête, leva bel et bien sa massue et
fraya bien vite un chemin, à travers les planches de la
porte, si bien que le bois sec et sonnant le creux, porta
l'alarme d'un bout à l'autre de la forêt.«

(Pendant cette lecture, R. toujours assis, a penché sa tête
sur la poitrine, et se balance avec un mouvement très doux
d'un côté à l'autre.)
Roderick, vous n'écoutez pas!

Roderick: Oh! si! si! ... j'écoute de toutes mes forces.

L'Ami: »Ulrich[13] passant (barré: la route) alors la porte, fut

(12) Sir Launcelot.
(13) Sir Launcelot.

seinen Freund angeschaut hat [gestrichen: starr umherge-
blickt hat])
Hast Du so etwas niemals gesehen? Warte, Du wirst es
sehen.
(Roderick öffnet das Fenster.)
Schau, dieses helle Licht. Wie ein glänzendes Leichentuch
über dem Wasser. Und er, dieser verdammte Vogel, der
Vogel des Unglücks. Er ist wieder da. Er fliegt nicht mehr
... Siehst Du ihn?

Der Freund: Schau nicht mehr länger hinaus, Roderick! Es gibt da
draußen nur Sturm. Die Luft ist eiskalt und gefährlich
für Dich.
(für sich) Was tun? Was nur tun?
(Zu Roderick, den er mit sanfter Gewalt zum Diwan
zurückgeführt hat.)
Hier ist Dein Lieblingsroman. Laß mich Dir die schöne
Geschichte vom Ritter und dem Eremiten vorlesen.

Roderick: Nein, nein. Laß mich. Ruh Dich nur aus. Diese Nacht ist
auch nicht gefährlicher als alle anderen.

Der Freund: Diese Nacht ist schrecklich, und wir werden sie zusammen
verbringen. Hör mir zu: »Schon die Natur hatte Sire Ulrich[12] viel Mut geschenkt. Nun, da der Zaubertrank, den
er genossen hatte, wie Feuer durch seine Adern rann, fühlte
er sich nicht nur besonders stark, sondern gleichsam besessen von einer magischen Kraft. Deshalb zauderte der
Ritter auch nicht lange und versuchte gar nicht erst, sich
mit dem in Wirklichkeit hinterlistigen und bösen Eremiten
zu einigen. Frohgemut erhob er seine Keule und bahnte
sich schnell einen Weg durch die Tür. Das Holz, das er
mit seiner Keule traf, schallte von einem Ende des Waldes
zum anderen hohl Alarm.«
(Während dieser Lektüre bleibt Roderick, den Kopf auf
die Brust gebeugt, sitzen. Mit sanfter Bewegung wiegt er
sich von einer zur anderen Seite.)
Du hörst mir ja gar nicht zu.

Roderick: Oh doch! Ich bin ganz aufmerksam.

Der Freund: »Als Ritter Ulrich[13] die Tür (gestrichen: den Weg) durch-

12 Sir Launcelot.
13 Sir Launcelot.

grandement furieux et émerveillé de n'apercevoir plus
traces du malicieux ermite, mais en son lieu et place un
merveilleux dragon avec une langue de feu, devant un
palais d'or dont le plancher était d'argent, et sur le mur
était suspendu un bouclier d'airain brillant.«[14]

Roderick: (A voix basse)

Il brille le bouclier d'airain.

L'Ami: »Alors, Ulrich leva sa massue et frappa sur la tête du
dragon qui tomba devant lui et rendit son souffle empesté
avec un épouvantable rugissement.«

Roderick: (Qui n'a pas interrompu son balancement régulier, a peu
à peu tourné la tête vers la porte d'ébène)
Il brille le bouclier, elle va l'atteindre.

L'Ami: »Et maintenant que l'enchantement était rompu, il s'avan-
ça sur le pavé d'argent, vers l'endroit où pendait le
bouclier, lequel, en vérité n'attendit pas qu'il fut arrivé,
mais tomba à ses pieds.«

(A ce moment même, – comme si un bouclier d'airain
était tombé sur un plancher d'argent, on en entend l'écho
distinct, métallique, mais comme assourdi. Roderick s'est
laissé aller tout entier par terre l'oreille collée contre le
plancher, un sourire malsain tremble sur ses lèvres. Il parle
très bas dans un murmure précipité, presque inarticulé,
l'ami s'est penché tout à fait contre lui).

Roderick: Vous n'entendez pas! ... Moi, j'entends, j'ai entendu
depuis des minutes, – j'ai entendu, mais je n'osais pas –
Oh! pitié pour moi, misérable infortuné que je suis ...!
Je n'osais pas le dire ... Il m'a deviné, il s'est déjà vengé,
le vieux corbeau. Il l'a mise vivante dans le caveau, il

(14) L'Ami: Un bouclier d'airain, avec cette légende gravée dessus: — R. U. — (à voix basse): Il
brille le bouclier d'airain — L'Ami: »Celui-là qui entre ici a été le vainqueur. Celui-là qui
tue le dragon, il aura gagné le bouclier«
Et Sir Launcelot leva sa massue (. . .)

schritten hatte, wurde er furchtbar wütend und wunderte sich darüber, daß von dem hinterlistigen Eremiten nirgendwo etwas zu sehen war. Statt seiner erkannte er vor den Pforten eines güldenen Palastes, dessen Fußboden ganz aus Silber war, einen wundersamen Drachen mit einer Zunge aus Feuer. An der Mauer des Palastes hing ein Schild aus leuchtender Bronze.«[14]

Roderick   (mit leiser Stimme)

Ein Schild aus leuchtender Bronze.

Der Freund: »Sofort schwang Ritter Ulrich seine Keule und donnerte sie auf den Kopf des Drachens, der vor ihm hinstürzte und mit entsetzlichem Gebrüll seine giftige Seele aushauchte.«

(Roderick hat sein regelmäßiges Hin- und Herwiegen nicht unterbrochen. Allmählich bewegt er seinen Kopf auf die Ebenholztür zu.)

Roderick: Ein Schild aus leuchtender Bronze ... Sie wird ihn erreichen.

Der Freund: »Und kaum war der Zauber gebrochen, ging Ritter Ulrich auf dem silbernen Fußboden des Palastes bis hin an die Stelle, wo der bronzene Schild hing. Aber dieser wartete gar nicht erst, bis der Ritter zu ihm gekommen war, sondern fiel ihm gleich zu Füßen.«

(Während der letzten Worte der Erzählung hört man das dumpfe Echo eines hingefallenen Gegenstandes, wie wenn ein bronzener Schild auf einen silbernen Boden gefallen wäre. Roderick wirft sich zu Boden, das Ohr auf den Fußboden geheftet. Um seine Lippen zittert ein perfides Lächeln. Er spricht überhastet, sehr leise und fast unverständlich. Der Freund hat sich zu ihm herabgebeugt.)

Roderick: Hörst Du es nicht? Ich höre es schon die ganze Zeit. Ich habe es immer schon gehört, aber ich wagte nicht ... Oh, Mitleid mit mir armseligem Unglücklichen ... Ich wagte es nicht zu sagen ... Er hat mich durchschaut und hat sich schon gerächt, dieser alte Rabe! Er hat sie lebend in die

[14] Der Freund: Ein Schild aus Bronce, darüber gemeißelt der Spruch: ...
    Roderick Usher (mit leiser Stimme): Der Schild aus Bronze leuchtet.
    Der Freund: »Wer diesen Ort betritt, der ist der Sieger. Wer den Drachen tötet, der hat den Schild gewonnen.« Und Sir Launcelot schwang die Keule ...

avait déjà voulu le faire. – Je vous dis que je le sais: Je vous dis que j'en suis sûr ... Tout à l'heure, j'ai entendu ses faibles mouvements dans le fond du caveau. Ha! ha! Sire Ulrich, le râle du dragon, le bruit du bouclier ... Dites: le bruit de la porte ... la porte de fer!

(Il se dresse sur ses deux mains, ses paroles sont coupées par un rire dément)

La voyez-vous? Elle est dans le vestibule de cuivre. – Voyez, ses pauvres mains saignent – sa robe est plaine de sang. Ha! ha! Roderick! celle que tu aimais tant, celle que tu ne devais pas aimer ... – tu n'a pas su la défendre[15]. – Oh! Que va-t'elle me reprocher? – Elle monte l'escalier, j'entends ses pas, j'entends les battements de son cœur. Ah! ses yeux ... ses yeux qui pleurent du sang ...

(Il s'est dressé furieusement sur ses pieds et hurle ces derniers mots comme s'il rendait son âme)

Insensé! insensé! Je vous dis qu'elle est maintenant derrière la porte!

(Pendant que Roderick dit les mots »Insensé, insensé« et comme si sa voix avait acquis la toute puissance d'un charme, les vastes et antiques panneaux d'ébène s'entrouvrent lentement; dans le même temps, poussée par un furieux coup de vent s'ouvre la porte fenêtre. Lady Madeline se tient sur le seuil de la porte d'ébène où elle reste tremblante et vacillante un instant[16]. Puis avec un cri plaintif et profond, elle tombe lourdement en avant sur son frère qui s'est avancé vers elle en lui tendant les bras, et dans sa définitive agonie, elle l'entraîne à terre. L'ami s'est enfui. La tempête fait rage. Au moment où sont tombés Lady Madeline et Roderick, le disque de la pleine lune rouge de sang éclate. Les murailles s'écroulent en deux. Seul reste visible, l'étang profond et croupi qui se referme silencieusement sur les ruines de la maison Usher).[17]

---

(15) C'est le sang de l'amour défendu qui coule.
(16) Il y a du sang sur ses vêtements blancs.
(17) Le fragment musical constituant la fin même que Debussy voulait donner à l'opéra, prête à Roderick les dernières paroles: »ah! damné, tu me l'as volée!«

Gruft gelegt. Das hat er schon immer machen wollen. Ich
sage Dir, daß ich es weiß! Ich bin ganz sicher! Gerade
wieder habe ich etwas gehört von ihren schwachen Be-
wegungen hinten im Gewölbe. Ha, ha, Sire Ulrich, Ritter
Ulrich, das Röcheln des Drachens, das Klirren des Schil-
des. Sag doch besser: das Knirschen der Eisentüre!
(Er richtet sich mit beiden Hände auf, seine Worte er-
sticken immer wieder in einem irren Lachen.)
Siehst Du sie, sie ist in der mit Kupfer beschlagenen Halle.
Sieh, ihre armen Hände bluten. Ihr Kleid ist voller Blut.
Ha, ha, ha, Roderick, die du nicht lieben durftest und die
Du doch so geliebt hast, Du wußtest sie noch nicht einmal
zu verteidigen[15].
Was wird sie mir alles vorwerfen? Ich höre, sie steigt die
Treppe herauf. Ich höre ihre Schritte, ich höre die Schläge
ihres Herzens. Oh, ihre Augen, ihre Augen mit Tränen
aus Blut.
(Er hat sich wie rasend auf die Füße gestellt und schreit,
als wolle er mit seinen letzten Worten seine Seele aus sich
herausreißen.)
Wahnsinniger! Wahnsinniger! Ich sage Dir, daß sie jetzt
hinter der Tür steht!
(Während der letzten Worte von Roderick »Wahnsinniger, Wahnsinniger« gewinnt seine Stimme die ma-
gische Kraft wie die eines Zauberers. Langsam öffnen
sich die weiten Flügel der Ebenholztür; gleichzeitig schlägt
ein Windstoß die Gartentüre auf. Lady Madeline steht
auf der Schwelle der Ebenholztür, wo sie einen Moment
lang zitternd und schwankend verharrt[16]. Dann fällt sie
mit einem durchdringenden, stöhnenden Schrei schwer
nach vorn auf ihren Bruder, der ihr seine Arme entgegen-
reckt. In ihrem Todeskampf reißt Madeline ihn mit sich
zu Boden. Der Freund flieht. Das Unwetter tobt. In dem
Moment, wo Lady Madeline und Roderick hinstürzen,
zerspringt die Scheibe des Vollmondes, scharlachrot von
Blut. Das Mauerwerk des Hauses Usher birst in zwei
Teile. Nur der tiefe und moderige Wassergraben bleibt
erkennbar, der sich ruhig über der Ruine des Hauses
schließt.)[17]

Deutsche Übersetzung:
Erika Engelhardt und Leo Karl Gerhartz

---

[15] Es fließt das Blut einer verbotenen Liebe!
[16] Ihr weißes Kleid ist beschmiert mit Blut.
[17] Das von Debussy für den Schluß der Oper vorgesehene musikalische Fragment gibt Roderick
die Schlußworte: »Ah! Verfluchter, du hast sie mir gestohlen!«

Jean Pierre Faye

Musique de l'*open air*
zwischen drei Sprachen

»Un art de plein air« –
Durch Debussys Wort in seiner Unterhaltung vom Januar
1911 glaubt man zu vernehmen, was Mallarmé über Manet und seinen Kreis 1876 schrieb, in seinem verehrungs-
würdigen »englischen« Essai aus der *Art Monthly Review.*

Open air — »Théorie de l'*open air*«, des »plein air«, hatte
Mallarmé geschrieben. Und dabei präzisiert, diese »théorie« sei nichts anderes als der »argot d'atelier« (Slang,
Sondersprache) der impressionistischen Maler.
»Un art libre, jaillissant«... (eine freie, hervorschie-
ßende Kunst)
Aber »ich habe keinerlei Theorie«, setzt Debussy jedenfalls hinzu. Was er im Zusammenhang mit seiner Opern-
musik sogleich übersetzt: »ich verlange keineswegs, daß
man sie nachahmt«. Und dies noch, mit direktem Bezug
auf eines der »beiden kleinen Dramen nach Edgar Poe«,
– »La chute de la maison Usher«:
»ich halte es für überflüssig, viele Werke zu geben: besser ist es, *so viel wie möglich ... in wenigen zu geben*« ...
Plein air unter jenen Wolken, »schwer und niedrig«,
die über dem Hause Usher lasten?
Zwischen den Rändern zweier Sprachen – Samt der
großen Prosa Baudelaires, schwarze narrative Ironie
Poes –,
dort geht jetzt die musikalische Sprache Debussys auf,
latent enthalten schon darin, wie er sich das Textbuch
schnitt, und wie verdoppelt in skizziertem Textbuch und
unvollendeter Partitur –
Das, woran er »in Frieden arbeitet« – aber »bis ans
nackte Fleisch«. An dasjenige »der Empfindung« (émo-
tion), schreibt er. An dasjenige der »Empfindungen«
(sensations), sagt er in der Unterhaltung vom Januar.
Worüber alle »geschlossene, scholastische Kunst« zerbricht.
»Une écriture chorale ... extrêmement mobile ...«

Sein Brief an Chausson vom September 1893 zitiert schon die ersten Zeilen der Baudelaireschen Übersetzung:

> »Pendant toute une journée d'automne, journée fuligineuse, sombre et muette, ou les nuages pesaient lourds et bas dans le ciel« –

Weggewischt, fast ausradiert, sind Poes gewohnte Alliterationen:

»During the whole of a *dull, dark,*
and *sound*less *day* in the autumn of
the year, when the clouds hung
oppressively low in the heavens« –

und die szenischen Angaben des Dramas halten in Debussys Schreibweise diese bleierne Schwere Baudelaires fest:

> »De gros nuages sombres passent au-dessus du feuillage presque noir de hauts cyprès sous un ciel de plomb«.

Mit dieser in der Handschrift des Textbuches durchgestrichenen Variante:

> »Sur un ciel *rouge de sang*«.

Die
Verdichtung   Wie die Erzählung in Dialogue transformieren? sie in die kurzen, fragmentierten Partien der Repliken konzentrieren? Die erste Szene Debussys verleiht dem eine *Stimme*, den die Erzählung bloß beschreibt: dem Arzt.

> [Fassung Baudelaire]
> »Sur l'un des escaliers, je rencontrai le médecin de famille. Sa physionomie, à ce qu'il me semble, portait une expression mêlée de malignité basse et de perplexité. Il me croisa précipitamment et passa.«

[Fassung Poe]
… »He accosted me with trepidation and passed on.«

Diese *Trepidation* (Erbeben, Erschütterung, Erregung) verwandelt sich in sonderliche Rede. Die »malignité basse« – das »low cunning« – (niedrige Bosheit) wird zur Frage, die an dieser Höllenschwelle die Person des Arztes stellt:

[Fassung Debussy Textbuch]
»Qui êtes-vous? Que voulez-vous?
Ne vous a-t-on pas dit que personne n'a le droit d'entrer dans cette
chambre?«

Wie als Wirkung dieser Bosheit wird, was in der Erzählung des Freundes über den *Namen* Usher und über
die Örtlichkeit verlautet, in das Register des *Blutes* ver-
legt und zugleich in es verdichtet:

[Fassung B]
»J'avais appris aussi ce fait très re-
marquable que la *souche de la race
d'Usher* ... n'avait jamais ... poussé de branche durable; en d'autres
termes, que la famille entière ne
s'était perpétuée qu'en ligne directe ... c'était peut-être cette ab-
sence de branche collatérale et la
transmission constante de père en
fils du patrimoine et du *nom,* qui
avaient à la longue si bien identifié
les deux, que le *nom* primitif du
domaine s'était fondu dans la bizarre et équivoque appellation de
Maison Usher.«

[Fassung P]
»I had learned, too, the very re-
markable fact, that the *stem of the
Usher race* ... and the consequent
undeviating transmission, from sire
to son, of the patrimony with the
name, which had, at length, so iden-
tified the two as to merge the ori-
ginal title of the estate in the quaint
and equivocal appellation« ...

[Fassung D Textbuch]
Le Médecin: ... Cet homme est le
dernier d'une race orgueilleuse et
hautaine que la transmission constante du même *sang* devait fatale-
ment épuiser.

Aus dieser exzessiv »direkten« Linie im Blut der Ushers leitet Poes eigentümliche Geometrie die leidenschaftliche Liebe ab, die er ihnen den *Intrikationen* (»intricacies«) – Vertracktheiten, Verwickeltheiten – der musikalischen Wissenschaft gegenüber zuschreibt, die sie deren »orthodoxen Schönheiten« vorziehen . . .

Und wahrhaftig, durch Debussys beugende (»biegende«) – »flexible« – Verdichtung der Erzählung hindurch, die deren Ungedachtes verkürzt, sind die Umrisse des neuen *Rezitativs* zu vernehmen, von Debussy selbst in folgenden Termini analysiert:

> »das Rezitativ, *so wie* es unsere
> alten Meister begriffen, ist fast völ-
> lig verschwunden? oder hat es sich
> zumindest derart *geändert*« . . .
> (Brief vom 5. März 1914)

Hinfort

> »ist es Teil jenes melodischen Ein-
> schusses, der, in den harmonischen
> Fond eingewoben, die verschiedenen
> Episoden des musikalischen Dramas
> einbindet«.

Dies *geänderte* Rezitativ – das durch den melodischen *Einschuß*, durch das *Gewebe* auf harmonischem Fond geht – wobei es »delikat ist, zu fixieren, was ein Rezitativ und was keines ist«, in der Tat – wir sehen seine Umrisse schon in der Façon, die fragmentierte Partie im Dialogue selber zu knüpfen (zu »weben«), wo sich von vornherein, wie im Traum, die sonderbare Doppelsinnigkeit der beiden durchgestrichenen Varianten im Schlußmonologue des Textbuchs verdichtet:

[Variante 1]
Ha! Ha! Roderick! celle que tu aimais tant, celle que *tu ne devais pas aimer* . . . tu n'as pas su la défendre.

[Variante 2]
C'est le sang de *l'amour défendu* qui coule.

Der letzte von Debussy konzipierte (und ins Textbuch geschriebene) – in den letzten (musikalischen) Fragmenten offen gebliebene – Gesang ist diese anwachsende Verdichtung des Phantasmas vom Inzest.

Virginia Clemm, Madeline Usher –

Unbegrenztes Rezitativ
Und war denn der Dialogue, wie Debussy ihn hier entwarf, nichts anderes als die aktive Fragmentation des zu Sagenden, einwirkend auf

»die gleich einer Violinsaite gespannten Nerven«

(Brief vom 18. Juli 1908)

so gibt, ebendesselben Sinnes, Debussys *geändertes Rezitativ* dem Gesang der Stimmen die äußere Hülle und geht zugleich durch ihn hindurch, dergestalt daß die redensartliche Abgrenzung zwischen Stimme und dem, was sie sagt, verwischt wird, ja dergestalt gar daß dem Versuch der Boden entzogen wird, »zu fixieren, was ein Rezitativ und was keines ist«: die Transformation des einen ins andere destruïert im Gegenteil den Fixismus (die »Definition«) der Ebenen kraft jener »écriture extrêmement mobile«, die der Brief an Robert Godet im Februar 1911 als gesucht meldet. Eine Suche ohnegrenzen, deren Erfüllung, gesteht er ein, »auf ich kann nicht sagen wann vertagt« ist. Sie antezipiert und begleitet, parallel zu den gleichzeitigen Experimenten in Rußland und Wien, die Umwälzungen des Erzählens, die sich damals ankündigten.

Das »plein air« Manets, Monets und Cézannes, Mallarmé beschreibt es zuvörderst als mit jener scheinbar willkürlichen Art zusammenhängend, »de couper le châssis« *(to cut the canvas),* also die Form über die Leinwandeinfassung (»Rahmen«, »Format«, kurz: was noch auf dem Bild ist) hinaus sich fortsetzen zu lassen in ein Grenzenloses an Farbe, – oder an Frische. In solcher Ausweitung enthüllt sich jäh – parallel zu dem, was in der Musik zur Aufhebung der Tonalität geraten sollte – der Verlust vollends des Objekts, das »Gegenstandslose« Malewitschs: Gegenständlichkeit selber verschwindet in der Navigation der Formen und im Absoluten der »Empfindung« (sensation):

»la nature est dissimulée dans l'infini et ses nombreuses facettes, et elle ne se dévoile pas dans les objets; dans ses manifestations, elle n'a ni langue ni forme, elle est infinie et on ne peut l'embrasser«.

Das »reine und abstrakte Auge«, das der Mallarmésche

Exkurs schon auf dem Bilde Manets zu fassen bekam, hinfort ist es verdoppelt durch ein Ohr: lauschend jener *façon nouvelle*

»de faire remuer les voix« –

deren »secret« eingefangen zu haben im Brief vom Juli 1906 versichert wird. Im Zusammenhang stets mit der Arbeit an der Musik über »so manche Erzählung Poes«, deren Planung schon seit 1890 André Suarès offenlegt. Will sagen vier Jahre vor dem *Prélude* zu Mallarmés Faun. Über eine Spanne von sechsundzwanzig Jahren setzt sich mithin die Suche nach diesem plein air in der Musik fort bis zu diesem plötzlichen Finale:

> »Ich war dabei ... den Fall des Hauses Usher zu vollenden: die Krankheit hat meine Hoffnung ausgelöscht« –,
> (Brief vom Oktober 1915)

»La maladie – cette vieille servante de la mort m'a choisi ... Je travaille ... Cette maison a une curieuse ressemblance avec la *Maison Usher*«
(Brief vom 4. September 1916)

Die Erwählung durch die alte Magd des Todes verwirrt sich aufs sonderbarste mit dem Fall – dem zugleich posthumen und tödlichen Sturz – der jungen Lady Madeline. Das letzte Wort der Erzählung, letztes Wort auch in jenem »langen Monologue des armen Roderick«, den Debussy bisweilen für »fast vollendet« erklärte, ist wie *an den Wahnsinn gerichtet.*

Wo die Baudelairesche Übersetzung des Poeschen Wortlauts sich in der Debussyschen Version verdoppelt –

> [Fassung B]
> »Insensé! Je vous dis qu'elle est maintenant derrière la porte!«

[Fassung P]
»Madman! I tell you that she now stands without the door!«

> [Fassung D]
> »Insensé! Insensé! Je vous dis qu'elle est maintenant derrière la porte!«

Ein merkwürdiger Lapsus: in der Erzählung Poes ruft Roderick Ushers Monologue unversehens den Helden einer Schilderung an, die ihm sein Freund vorgelesen hatte, und die Poe fiktiv einem gewissen Sir Launcelot (»the narrative of Sir Launcelot«) zuschreibt.

– hingegen nimmt Debussys Textbuch eine Verschiebung *des Erzählers in den erzählten Helden* vor, und Sir Launcelot ist hinfort der Recke ohne Furcht, der den Drachen angeht: in ihm verdichten sich die beiden Zyklen (Ringe) Wagners, der des *Rings* und der des *Parsifal*. Als wäre es darum gegangen, in den »Außergewöhnlichen Geschichten«, auf der Schwelle der künftigen Erzählkunst, das moderne Äquivalent der Graalszyklen in einem transformierten, entsetzten, hohnlachenden Register durchscheinen zu lassen.

Seltsamer noch, von diesem »fast vollendeten« Monologue besitzen wir nebeneinander, und getrennt, die Fassung des dialoguierten Textbuchs und die der musikalischen Partitur – es koïnzidieren die beiden mitnichten. Das letzte komponierte Fragment verdichtet erneut aufs eigentümlichste in einem einzigen Satz, was das Textbuch auf fast einer ganzen Seite zu sagen wußte. Und dies auf dem Umweg über eine Transformation, zu der das Textbuch den Schlüssel hergibt.

[Fassung Poe – Baudelaire]
» Je n'*osais* pas parler! *Nous l'avons mise vivante dans la tombe!*«

[Fassung Debussy Textbuch]
» Je n'osais pas le dire ... Il m'a deviné (...) le vieux corbeau: Il l'a mise vivante dans le caveau« ...

[Fassung Debussy Partitur]
» Ah! damné! tu me l'as volée« ...

Die finale Einfügung des »Arztes des Todes«, des »alten Raben«, ein kurioser Eingriff Debussys in die innerste Intrigue der Erzählung, verdichtet mehrere Elemente des phantasmatischen Alphabets bei Poe und verschiebt zugleich die Schuld: Mörder der Schwester ist so nicht länger Usher selbst, *sondern sein Rabe* oder Diener des Todes: der, der schon beim Tode der Mutter zugegen war.

Grausamer noch rafft und sammelt sich dergestalt der

untergründige Drang, der im schließlichen Einsturz der ganzen Behausung sich erfüllt:

» Les murailles s'écroulent *en deux*«.

Der Riß   Was ist denn dieser *Einsturz entzwei* (Auseinanderbruch in zwei Teile) anderes als die beschleunigte, jähe Ausweitung des Risses, der im ganzen Körper des Hauses klaffte? Dieser Körper ist vollständig bedeckt von dem, was die Baudelairesche Version, die darin über Poes Beschreibung einigermaßen hinausgeht, »une fine *étoffe* curieusement brodée« (»a fine tangle web-work«) nennt; es wurde diese Erscheinung durch »dünnen Pilzbefall« auf das »Äußere« gewebt.*) Aber *unter* diesem Stoff verhehlt der Körper ein »Symptom von Fragilität« – einen kaum wahrnehmbaren Riß (»une fissure à peine visible« bei Baudelaire, *»a barely perceptible fissure«* bei Poe).

Berührt die Schwester den Bruder – sogleich öffnet sich jählings der Riß, der einzig durch solche Entblößung *(bare)* oder Nacktheit des Auges wahrnehmbar wird: »Während ich schaute, weitete sich der Riß rasch aus«. Die Verbreiterung des Risses wird zum blitzartigen *Entzwei*brechen, wie die Baudelairesche Version es wiedergibt, die in der Debussyschen Textbuchfassung festgehalten wird.

Die Deutung des Risses als Geschlechtsschlitz – die Debussy schließlich noch nicht bei Marie Bonaparte nachlesen konnte, die aber die Grundwasserläufe der Erzählung orientiert – sie gelangt in beiden Debussyschen Versionen zu tödlicher Greifbarkeit:

[Fassung Textbuch]
»celle que tu ne devais pas aimer«

[Fassung Partitur]
»Ah! damné! tu me l'as volée« ...

. Eine neue Verschiebung hat beim Übergang von der einen zur anderen Version das »tu« transformiert: es ist Usher, dem das Verbot gilt, diesen in seiner entblößten »Fragilität« ihm verwehrten Frauenkörper zu berühren und zu lieben – aber diesen offenen und verwehrten Körper, der alte Rabe, der Arzt des Todes, er hat ihn gestohlen –

*) Anm. d. Übers.: »Zarter Mauerschwamm überzog das Äußere gänzlich und hing als feines, verworrenes Gespinst von den Dachkrämpen« (Fassung Arno Schmidt).

Die musikalische Erzählung berichtet hier, durch die Disparitäten und Überlagerungen der drei Versionen hindurch, was die drei akkumulierten Sprachen Poes, Baudelaires und Debussys bloßzulegen (zur »Nacktheit« zu bringen) suchen: die offene »Fragilität« des Körpers, durch welche allein er φυχή ist, bewußt vom Tod geschlagen, gefällt durch sein Entzweibrechen.

Musikalische
Erzählung

Ob Webern das »Musikalische Opfer« neu komponiert oder Rachmaninoff mit neuen Variationen über Corelli herzieht – stets wird eine unermeßliche innere Distanz dem musikalischen Raum einbeschrieben. Hier das Gegenteil: die sukzessiven Bearbeitungen explorieren oder unterminieren die Basis, auf die sie sich gründen, entblößen (»entkleiden«) ihren Sinn: Poes lancelotische Narration, Baudelaires »rußfarbene« Prosa, – durch Manets und Mallarmés *plein air* –

hier gleichwohl, in dieser Tiefe der Überlagerungen, öffnet sich die freie Navigation der künftigen Schrift und des *open air* als Alp und Schrecken seines Raumes.

»›Le Linge‹ de Manet est ... le plus grand effort de sa peinture en plein air« –
(Berthe Morisot, *carnets*, 1874)

»Le plein air: – voilà le début, et la fin, du problème que nous étudions« –
(Mallarmé über die *Wäsche* Manets, 1876)

»Je devrais quelque peu commenter ce ... qui, dans le jargon d'atelier, s'appelle la théorie du plein air« –
(Mallarmé, id.)

»La Chute de la maison Usher ... j'y travaille avec paix ... La musique ... c'est un art libre, jaillissant, un art de plein air« –
(Debussy, 1911)

»... Diese alte Magd des Todes – hat mich zum Experimentierfeld erwählt ... Ich arbeite ... Wann das alles

enden wird? dies Haus hat sonderbare Ähnlichkeiten mit
dem Hause Usher« –

Ähnlichkeiten, die in den Briefen der letzten sieben
Jahre bis zur Identifikation reichen.

> »... je suis ... rebelle à toute espèce
> de joie, si ce n'est celle de me dé-
> truire tous les jours un peu plus ...
> Ce n'est pas tout à fait de ma faute
> ... il y a bien un peu de la famille
> Usher« ...   (24. August 1910)

... »je n'ai pas les désordres céré-
braux de Roderick Usher ... une
hypersensibilité nous rapproche ...
Là-dessus je pourrais vous donner
des détails qui feraient tomber votre
barbe« ...   (4. September 1916)

Die Freiluft des Hauses Usher ist, schon bei Poe, das
Hören von Musik und ihrer Intrikationen. Und die Melodie des »Spukschlosses« ist nichts anderes, weder in der
Erzählung noch in der Oper, als Roderick Ushers eigene
musikalische Improvisation. Musik in der Musik. Der
Klang als Quelle der Angst – des Schreckens – findet dabei
ein Korrelativ auch in den »reinen Abstraktionen«, die
Roderick auf die Leinwand wirft: kraft der Nacktheit
(»nakedness«) des Dessins. Und gleichzeitig ist er eine
Arbeit an der »Paraphrase« gewisser aus der Musik der
deutschen Romantik entlehnter Weisen – insonderheit des
letzten Walzers von Weber, der es Nerval angetan hatte.

Die Paraphrase taugt in der Tat zum Medium des
Schreckens. Durch das hindurch, was sie beiträgt zwecks
Verstauung im Gedächtnis, in der Erinnerung. Die Geschichte der »musikalischen Wissenschaft«, um wie Poe zu
reden, wird inskünftig sicherlich besagen, daß das *Prélude
à la chute d'Usher*, durch die zerbrochene melodische Rede
des *Prélude* zum Faun hindurch, die nicht auszuhaltende
Herzenszerreißung von Vorspiel und Liebestod Isoldes auf
sich gezogen (»sich anverwandelt«) habe. Seine Intrika-
tion: es ist die Innacktsetzung von »psyché ma sœur«.

Der musikalische Narrator Ushers ist der, der den Tod
verschoben und seine Ursache verdichtet hat. Und der in
dieser sterben wird.

(Aus dem Französischen übersetzt von H.-K. Metzger)

Juan Allende-Blin

Claude Debussy: Scharnier zweier Jahrhunderte

Tout le moide conçoit sans peine que, si les hommes chargés d'exprimer le beau se conformaient aux règles des professeurs-jurés, le beau lui-même disparaîtrait de la terre, puisque tous les types, toutes les idées, toutes les sensations se confondraient dans une vaste unité, monotone et impersonnelle, immense comme l'ennui et le néant. La variété, condition sine qua non de la vie, serait effacée de la vie. Tant il est vrai qu'il y a dans les productions multiples de l'art quelque chose de toujours nouveau qui échappera éternellement à la règle et aux analyses de l'école! L'étonnement, qui est une des grandes jouissances causées par l'art et la littérature, tient à cette variété même des types et des sensations.
. . . Le beau est toujours bizarre. . . .
(Charles Baudelaire: Exposition Universelle 1855, Beaux-Arts)

I.
Die zyklische Form: Vorläufer der seriellen Technik

Unglücklicherweise gilt César Franck nicht selten schlicht als der »pater seraphicus«, als ein etwas altertümlicher Musiker, der harmlose Werke komponiert habe und nicht allzu ernst genommen werden müsse. Gewiß, er hatte verabscheuungswürdige Schüler wie Vincent d'Indy, den Antisemiten, der verhängnisvoll Musik, Politik und Religion vermengte und zugleich einen veritablen Kult seines Meisters, des Organisten von Sainte-Clotilde, errichtete. Außerdem pflegte man schon stets Claude Debussy und César Franck einander entgegenzusetzen: Debussy sollte als derjenige, der die Musik mit einer bis dahin schier undenkbaren Freiheit begabt hatte, wider César Franck, den strengen Schulmeister und kleinbürgerlichen Musiker, stehen.

Prüfen wir den Antagonismus der beiden Komponisten näher.

Allemal noch, wenn ein musikalisches System über seine Grenzen schoß und sich selber aufzulösen drohte, griff es auf eine Technik zurück, die wir heute seriell nennen.

Die sogenannten gregorianischen Modi bildeten ein vollkommen logisches und geordnetes System, und nichts bedrohte, solange sie ihren einstimmigen Charakter bewahrten, diese Ordnung. Sobald sich aber diese Modi, diese Melodien, zur Mehrstimmigkeit verzweigen und die Polyphonie sich zur Komplexität entfaltet, muß die genaue Bestimmung der Modi immer schwieriger werden. Für ausgedehnte Werke suchte man fast instinktiv eine Superstrukturalität, welche die Einheit der Komposition zu garantieren vermöchte, denn eben diese Einheit tendiert, indem die Mehrstimmigkeit die Möglichkeiten der Modi überfordert, zu ihrem Zerfall. So entwickeln sich die Techniken des »color« und der »talea« als Kontrolle der melodischen und rhythmischen Ordnung der Kompositionen des Mittelalters. Diese Techniken, seriellen Wesens, ändern im Laufe der Jahrhunderte ihr Gesicht. Ein langer Kristallisationsprozeß verwandelt die modale polyphone Sprache in ein neues System: das tonale. Die superstrukturalen Techniken, welche die Tonhöhen reguliert respektive die Rhythmen geordnet hatten, werden überflüssig, denn die neue musikalische Sprache, um 1600 entstanden, ist von durchschaubarer Klarheit. Ihre melodische, harmonische und rhythmische Ordnung ist von lapidarer Präzision. Das neue Klanggebäude ruht im Prinzip auf nur drei Pfeilern: den Akkorden der Tonika, der Subdominante und der Dominante. Die Projektion dieser Akkordpfeiler in die Zeit zeitigt die Form der tonalen Kompositionen.

Je mehr sich jedoch die tonale Sprache entfaltet, umso subtiler und komplexer gerät ihre Struktur. Diese Komplexität erreicht schließlich die Sättigungsgrenze ihrer Möglichkeiten – ein Prozeß ähnlich jenem, den das modale System erfahren hatte.

Beginnt die Tonalität ihre Grenzen zu sprengen und muß dieses System voller Subtilitäten im Détail einen intrikaten und weiterdimensionierten Diskurs artikulieren, so greifen die Komponisten sogleich instinktiv auf superstrukturale Techniken zurück, die man seriell nennen mag.

Beethoven und Schumann waren vielleicht die ersten, die sich ihrer bedienten. Von Beethoven sind namentlich einige Klaviersonaten und die letzten Quartette jeweils auf eine kurze Tonreihe gegründet, die den musikalischen Diskurs eines ganzen Werkes artikuliert.

Schumanns Carnaval ist über die Noten ASCH geschrieben, will sagen über a-es-c-h oder as-c-h, denn die deutsche Nomenklatur gestattet diese beiden Auslegungen der »lettres dansantes«.

Es ist das große Verdienst César Francks, diese Technik bewußt eingesetzt und entwickelt zu haben. Die Werke aus Francks reifer Zeit, so das Quartett, das Quintett, die Sonate für Violine und Klavier, die Symphonie, die Orgelchoräle, bewahren ihrer tonalen Komplexität zum Trotz ihre Einheit dank dieser Technik, die man bei ihm als »zyklische Form« bezeichnet hat.

Doch zweifellos hat Franck nicht bloß die Werke Beethovens und Schumanns, sondern auch die Liszts studiert.

Bei Debussy, dem scheinbaren Widerpart Francks, hat man die zyklische Form vor allem im Streichquartett von 1893 bemerkt, diese technische Bindung aber eher für einen Zufall gehalten, der Debussys Jugend zuzuschreiben sei. Vollzieht man jedoch Debussys reife Werke sorgfältig und eingehend nach, so läßt sich die äußerst subtile Verwendung dieser Technik nachweisen. Er organisiert seinen musikalischen Diskurs von gewissen Ausgangsintervallen her, ohne daß diese einen thematischen Charakter annähmen. Vermöge dieser Abstraktion von der Franckschen Technik hebt Debussy die zyklische Form auf und nähert sich unbewußt der seriellen Technik Schönbergs. In den »Nocturnes«, in »La Mer«, in »Ibéria« bildet den Ausgangspunkt eine Zelle von Intervallen, die sich fast unmerklich, doch mit einer geradezu natürlichen Überzeugungskraft entfaltet und diesen Werken die Kohärenz ihrer so bedeutenden Originalität verleiht. (Beispiel I)

Diese Originalität Debussys ist keineswegs leicht zu fassen und noch schwerer zu definieren. Sein Vokabular ist derart, daß man meinen möchte, er habe die klingenden Kombinationen just erfunden. Dabei ist die Folge seiner Vokabeln von perfekter Logik, die Syntax jedoch mitunter verwirrend: die Themen zergehen, verflüchtigen sich; – freilich nicht in üblem Sinn, denn Debussys Rohstoff dürfte schwerlich das Thema mit der ihm anhaftenden statischen Eigenschaft eines einprägsamen und didaktischen Gebildes sein, sondern der Klang als deutliche Personalität von integraler Lebenskraft. Verwirrend ist die Syntax oft deshalb, weil Debussy mit seiner Technik sonorer Mosaiken den auftrumpfenden Knall von Höhepunkten meidet: wo man einen solchen erwartet, findet man eine Ellipse, wo man ein fortissimo im Anzug wähnt, wird man einem pianossimo konfrontiert; Debussy bevorzugt die Antiklimax.

Wenn Rhetorik die Kunst des Überzeugens ist, dann hat Debussy eine neue Rhetorik kreiert oder zumindest den Weg zu ihr gewiesen: zu einer nicht-aristotelischen Rhetorik.

Debussy selbst hat mit sehr sicherem Instinkt die Neuheit seiner Konzeption herausgestellt. In einem Brief an Monsieur Vasnier schreibt er: »Ich glaube, daß ich meine Musik niemals in eine zu korrekte Gießform werde füllen können.« In einem Brief an seinen Verleger Durand erläutert er: »Die ›Images‹ werden fertig sein, wenn es mir gelingt, ›Rondes‹ so zu beenden, wie ich es will und wie es sein muß. Es ist das Besondere der Musik dieses Stücks, daß sie immateriell ist, so daß man nicht mit ihr umgehen kann wie mit einer robusten Symphonie, die auf ihren vier Füßen geht (manchmal nur auf dreien, aber gehen tut so etwas trotzdem). Übrigens erkenne ich immer mehr, daß die Musik ihrem Wesen nach nicht eine Sache ist, die man in eine strenge und überlieferte Form gießen kann. Sie besteht aus rhythmisierten Farben und Zeiten.« Oder vollends diese Erklärung: »Ich möchte, daß man – daß ich zu einer Musik komme, die wirklich frei von Motiven oder aus einem einzigen kontinuierlichen

Motiv gebildet ist, das durch nichts unterbrochen wird und niemals zu sich selbst zurückkehrt. Alles wird dann eine logische, gedrängte, deduktive Durchführung sein; es wird nicht mehr zwischen zwei Reprisen desselben Motivs, das die Charakteristik und Topik des Werks ausmacht, überflüssiges Gehudel zwecks Füllung geben. Die Durchführung wird nicht mehr jene materielle Ausbreitung sein ... sondern man wird sie in einem universaleren und schließlich psychischen Sinn verstehen.«

Bekanntlich plante Debussy zwei kurze Opern nach zwei Erzählungen von Edgar Poe: »Le Diable dans le beffroi« und »La Chute de la maison Usher«.

Für »Le Diable dans le beffroi« hatte er sich den Teufel als gepfiffene Rolle vorgestellt, die einzige singende Person sollte die Volksmenge sein. In einem Brief an seinen Freund Louis Laloy beschrieb er die Menge, wie sie ihm für diese Oper vorschwebte; zugleich ist diese Beschreibung eine Deklaration seiner musikalischen Prinzipien:

»Das Volk in ›Boris‹ bildet keine wirkliche Menge; bald singt eine Gruppe, bald eine andere, aber keine dritte, alles der Reihe nach und meist auch noch unisono. Was das Volk der ›Meistersinger‹ angeht, so ist es keine Menge, sondern eine Armee, nach wuchtiger deutscher Art angetreten und in Reihen aufmarschierend. Ich möchte etwas Aufgelösteres, feiner Gegliedertes, etwas Geschmeidigeres und Ungreifbareres zustandebringen, etwas scheinbar Unzusammenhängendes und insgeheim doch Geordnetes; eine wirkliche Menschenmenge, in der jede Stimme frei ist, jedoch die vereinten Stimmen aller gleichwohl den Eindruck einer gemeinsamen Bewegung produzieren.«

Zur Ergänzung der Grundsatzerklärungen Debussys sei noch die Antwort an seinen Lehrer Ernest Guiraud hinzugefügt, die sein Mitschüler Maurice Emmanuel überliefert hat.

»Die sogenannten Romantiker sind immer noch Klassiker«; – so soll Debussy 1889 gesagt haben –, »und Wagner sogar mehr als alle zusammen. Härten in seiner Sprache? Ich nehme keine wahr. Alterationen? Hat er sie denn erfunden? Chromatik? Er nützt ja nicht einmal die der zwölf Halbtöne aus, die die Klaviatur anbietet und die nur ausgebeutet werden müßte. Er bleibt dem diatonischen Dur und Moll hörig. Er findet da nicht hinaus.«

Debussy hat also das volle Bewußtsein der Möglichkeiten des chromatischen Totals und der Dialektik zwischen Freiheit und Ordnung im musikalischen Diskurs gewonnen. Er prophezeit die Musik Arnold Schönbergs und die John Cages.

II.
Die Deklamation

Es gibt in Debussys musikalischer Sprache ein Element, das tunlichst nicht vernachlässigt werden sollte: die Deklamation.

Einem so scharfblickenden Musiker wie Maurice Emmanuel mußte schon sehr früh eine merkwürdige Analogie zwischen der Theorie der Deklamation bei Jean-Jacques Rousseau und den Vokalkompositionen Debussys auffallen. Maurice Emmanuel und Romain Rolland, die beide diese Analogie gewahrten, nehmen allerdings an, Debussy habe die musiktheoretischen Werke des Philosophen nicht gekannt.

Ich möchte ein paar Passagen des Artikels über den *Akzent* aus Rousseaus »Dictionnaire de Musique« zitieren ,die Anlaß zum Staunen bieten dürften.

»AKZENT« – so schreibt Rousseau –: »In seiner allgemeinsten Bedeutung bezeichnet dieser Begriff jede Modifikation der sprechenden Stimme hinsichtlich der Dauer oder des Tons der Silben oder Worte, aus denen die Rede zusammengesetzt ist; es zeigt dies eine sehr exakte Beziehung zwischen den beiden Verwendungen der Akzente und den beiden Bestandteilen der Melodie, nämlich dem Rhythmus und der Intonation. Akzent, sagt der Grammatiker Sergius in Donat, quasi ad cantus. Es gibt so viele verschiedene Akzente wie es Arten gibt, die Stimme dergestalt zu modifizieren; und es gibt so viele Gattungen von Akzenten wie allgemeine Ursachen solcher Modifikationen.

Man unterscheidet drei dieser Gattungen in der einfachen Rede: zuerst den grammatischen Akzent, der sowohl die Regel der Akzente im eigentlichen Sinn, durch welche der Ton der Silben hoch oder tief ist, als auch die Regel der Quantität umfaßt, durch welche jede Silbe kurz oder lang ist; dann den logischen oder rationalen Akzent, den manche leider mit dem ersten verwechseln; diese zweite Art von Akzent, welche die Beziehung, die mehr oder weniger enge Verknüpfung der Propositionen und Ideen angibt, wird zum Teil durch die Interpunktion bezeichnet; schließlich den pathetischen oder oratorischen Akzent, der durch verschiedene Modulationen der Stimme, durch Anheben und Senken des Tons, durch lebhafteres oder langsameres Sprechen die Gefühle ausdrückt, die den Redenden bewegen, und sie den Zuhörern vermittelt. Das Studium dieser verschiedenen Akzente und ihrer Wirkungen in der Sprache ist die große Aufgabe des Musikers.«

Rousseau geht noch weiter:
»Der Übergang von der Rede zum Gesang und umgekehrt ist zu uneben. Die Modulationen der sprechenden Stimme sind nicht auf die musikalischen Intervalle beschränkt; sie sind unendlich und daher nicht zu bestimmen.«

An einer anderen Stelle scheint Rousseau die Musik Claude Debussys zu beschreiben:

»Das Rezitativ soll sich zwischen sehr kleinen Intervallen abspielen, ohne große Hebung oder Senkung der Stimme. Wenig gehaltene Töne; niemals Ausbrüche, noch weniger Schreie, nichts Gesangsähnliches, wenig Ungleichheit in Dauer oder Wert der Noten und zwischen ihren Stufen.«

III.
Das Theater und Debussy

a) Paul Valéry

So häufig einige Werke Debussys gehört werden, so unzureichend bekannt ist sein Werk – vor allem seine Musik fürs Theater. Um die Bedeutung seiner dramatischen Kompositionen besser zu verstehen, mag es von Nutzen sein, Debussys Beziehungen zum Pariser Theaterleben seiner Zeit zu untersuchen.

Paul Valéry berichtet in seiner »Histoire d'Amphion« von einem Gespräch, das er gegen 1894 mit Claude Debussy geführt hatte; ich gebe es seiner besonderen Bedeutung wegen nahezu vollständig wieder.

»Die Oper erschien mir als Chaos«, sagt Valéry dort, »als ein ungeordneter Gebrauch stimmlicher, orchestraler, dramatischer, pantomimischer, bildnerischer und choreographischer Bestandteile, letztlich als ungepflegte Darbietung, denn nichts bedingte Auftritt und Widerspiel der verschiedenen Potenzen, nichts begrenzte ihr Wirken, und das ganze Werk blieb den unvereinbaren Eingebungen des Librettisten, des Komponisten, des Choreographen, des Bühnenbildners, des Regisseurs und der Interpreten anheimgegeben.

Ich sagte Debussy, daß mir stattdessen ein aus dem Üblichen herausfallendes System vorschwebe, das auf einer Analyse der ins Werk gesetzten Mittel und auf einer strengen (wenngleich willkürlichen) Konvention beruhen würde, wodurch ich jedem einzelnen dieser Kunstmittel eine genaue Funktion zuzuweisen gedächte, die es strikt erfüllen müßte. So würden Orchester und Gesang von Grund auf verschiedene Aufgaben erhalten, dramatische Handlung, Pantomime und Tanz wären streng auseinanderzuhalten und je zu ihrer Zeit unter genauer Festlegung der Dauer zu produzieren. Ich ging, glaube ich, so weit, den Bühnenraum in Spielstätten, Flächen und Etagen zu zergliedern, und diese verschiedenen Regionen sollten in jedem Werk bestimmten Gruppen von Sängern, Tänzern oder Mimen, ja sogar einer bestimmten Person unter Ausschluß aller anderen zugeordnet werden. Dasselbe galt von der Zeit, die ich in Abschnitte zerlegen, ja sogar . . . mit der Stoppuhr messen wollte. Übrigens sollten das Licht und die Kulissen nicht minder durchdachten Bedingungen unterworfen werden, so daß das Ganze das gebieterischste System von Zwängen und Arbeitsteilung gebildet hätte, das man sich denken konnte. (. . .) Beachten Sie bitte, daß dies heißt, den größten Teil dessen, was man Inspiration nennt, auf die Periode zu übertragen, in der man ein Werk vorbereitet. (. . .) Mich dünkte, daß mein auf die Spitze getriebenes System – ein System, das kraft der Akkumulation der Bedingungen die unmittelbare Nachahmung des Lebens auf der Bühne methodisch ausschloß, sobald eine solche Nachahmung den eigentlichen Sinn des Werkes hätte vergessen machen können –, mich dünkte, daß dieses System einer liturgischen Auffassung der Schauspiele recht nahekam. (. . .)

In einer gewöhnlichen dramatischen Handlung sind die Bewegungen, die Gesten, die ›Zeiten‹ nur der möglichst »wahrheitsgetreuen« und erregenden Darstellung des ›Lebens‹ unterworfen.

Die Konvention erscheint dabei in ausdrücklicher Form nur bei in Versen geschriebenen Werken und in Opern, und auch dort erst, wenn die Schauspieler den Mund öffnen. Man gewahrt dann, daß ihre Worte zu einem anderen System als ihre Handlungen gehören. Während diese Personen handeln, wie man handeln könnte, drücken sie sich so aus, wie man sich nicht ausdrückt. Es ergibt sich eine Sonderbarkeit und eine Art Unreinheit, deren wir dermaßen gewohnt sind, daß wir uns nicht einmal ihrer bewußt werden. (...)

Debussy aber maß dieser scheinbar so komplizierten, doch in ihrem Prinzip sehr einfachen Konzeption nur eine unsagbar geringe Bedeutung bei«, – schließt Paul Valéry. Sein Exposé ist eine Theorie, eine Utopie. Realität und Praxis des Theaters waren im damaligen Paris weit von seinen Träumen entfernt, ja es herrschte das auftrumpfend herkömmliche Theater im Gegenteil unumschränkt. Aber die Situation begann sich zu ändern.

b) Das Théâtre libre und das Théâtre d'Art oder La Maison de l'Œuvre

André Antoine (1857–1943), Angestellter der Gasgesellschaft und Sonntagsschauspieler, eröffnete 1887 auf dem Montmartre einen kleinen Saal, das »Théâtre libre«.

Robert Pignarre beschreibt in seiner »Histoire de la mise en scène« den von Antoine kreierten Stil so:
»Wie in Bayreuth gehen die Lichter aus, wenn sich der Vorhang hebt. Die Szene wird nach italienischer Art vornehmlich von der Rampe her beleuchtet. Auch in der Struktur des Bühnenbildes nichts Revolutionäres, nur daß gemalte Leinwände einzig geduldet werden, um das Material des Mauerwerks und, wenn ein Garten vorkommt (wie zum Beispiel in ›Poil de carotte‹ von Jules Renard), das Grün im Hintergrund vorzustellen; alles Übrige ist wirklich, sogar das Feuer, das aus dem Herd scheint, und die Suppe, die in der Schüssel dampft. (...) Die Schauspieler scheinen die Anwesenheit des Publikums zu ignorieren, sie geben ganze Szenen im Profil oder sogar mit dem Rücken zum Saal, sie halten lange Pausen ein, gestikulieren nicht, heben nicht systematisch die Worte hervor, die besonderen Effekt machen sollen. Diese Einstellung ist die dramatische Projektion der naturalistischen Romanästhetik, wie sie Zola kodifiziert hat. Sie verfährt nach einer Dramaturgie, welche die Tirade, den Monolog, die Erzählung, das Bravourstück ächtet. Die physiologischen Gebrechen werden mit klinischer Präzision wiedergegeben – so Copeaus berühmter Anfall von Delirium tremens in ›L'assommoir‹.«

Zwei Jahre später, 1889, gründet ein junger Dichter, ein Kind fast, Paul Fort, im Alter von 17 Jahren sein »Théâtre d'Art« als antipodisches Unternehmen wider die Ästhetik des »Théâtre libre« von André Antoine.

Die Geschichte dieser neuen theatralischen Unternehmung wird von Pierre Louÿs, dem Freund Claude Debussys und Dichter der »Chansons de Bilitis«, erzählt:

»Er (Paul Fort) warb Schauspieler ohne Gage an, er ließ Leinwände von revolutionären Ausstattern malen; er nahm entlegene Stücke an und ließ sie spielen. (. . .) Als erster hatte er den klugen Einfall, unter das neueste Theater das vergessene alte Theater zu mischen: die Namen von Christopher Marlowe und Pierre Quillard wurden auf dasselbe Plakat gesetzt. Dank ihm sollten Maurice Maeterlinck, Charles van Lerberghe, Paul Verlaine, Charles Morice, Jules Bois und andere, die seither unterschiedliche Stufen des Ruhms erstiegen, das Rampenlicht kennenlernen . . .«

Die »revolutionären Ausstatter«, von denen Pierre Louÿs spricht, waren Gauguin, Vuillard, Bonnard, Sérusier, Maurice Denis. Unter den ständigen Zuschauern traf man Jean Moréas, Paul Claudel, André Gide, Saint-Pol-Roux, Stefan George, Pierre Louÿs, Péladan (den sonderbaren Mystiker und Freund Erik Saties), Ernest Chausson und Claude Debussy.

»Les parfums, les couleurs et les sons se répondent« – hatte Baudelaire geschrieben; so versuchte denn die junge Truppe des »Théâtre d'Art« diese poetische Utopie des Autors der »Fleurs du Mal« zu realisieren und wählte eines Abends im Dezember 1891 »Les Aveugles« von Maeterlinck, um die Entsprechungen zwischen Düften, Farben und Klängen auszuprobieren.

»Heliotrop und Maiglöckchen, Benzoegummi und Kölnisch Wasser – kein Duft ward ausgelassen!«, erinnert sich Paul Fort in seinen »Mémoires« und fährt fort: »In allen oberen Logen des Saals drückten Poeten und Maschinisten um die Wette auf die Quasten ihrer Parfumzerstäuber, aus denen sich in Wellen diese riechenden, viel zu stark riechenden Wolken verbreiteten. Einige zum Spaßen Aufgelegte begannen unten aus Leibeskräften geräuschvoll die Luft einzuziehen, so daß die Vorstellung in einer eher komischen Unruhe ein vorzeitiges Ende genommen hätte, wenn nicht die heilige Garde der Dichter für Ordnung gesorgt hätte. In Ermanglung von Lyren erhoben sie ihre Stöcke!«

Das »Théâtre d'Art« zog vor allem die jungen Poeten an; einige unter ihnen hatten den Einfall, Gedichte darstellen zu lassen, die nicht für die Szene gedacht waren. Man wählte ebenso das Hohelied Salomonis wie »Le Guignon« von Mallarmé, »Le Concile féerique« von Jules Laforgue und den »Raben« von Edgar Poe. Dieses Gedicht wurde, wie Stéphane Mallarmé es gefordert hatte, vor einer Verpackungsleinwand gespielt.

Aber es fand auch die Weltpremière von Maurice Maeterlincks Stück »Pelléas et Mélisande« auf dieser Bühne statt. Während der Proben, wenige Tage vor der Uraufführung, gab Paul Fort seiner angegriffenen Gesundheit wegen die Leitung des Theaters auf. Sein Nachfolger wurde Aurélien-Marie Lugné-Poe (1869–1940). Das Theater änderte auch seinen Namen und hieß nun »La Maison de l'Œuvre«, doch nannte man es kurz »L'Œuvre«.

Die Schauspieler von »Pelléas« hatten sich selber um Subskribenten bemüht, um die Uraufführung des Maeterlinckschen Werks zu sichern. In einem Vortrag, den Lugné-Poe im Februar 1933 unter dem Titel »Mes confidences sur Maeterlinck« hielt, machte er darüber diese Angaben: »Bei Durchsicht der Subskribentenliste stoße ich auf die Namen Lucien Muhlfeld, Henri Lerolle, Henri de Régnier, Tristan Bernard ... und schließlich auf den bewunderungswürdigen Claude Debussy, dessen Verpflichtungsschein wir noch besitzen, und der mir damals schrieb, er kenne weder das Stück noch den Autor.«

So unvergleichlich die Debussysche Vertonung von »Pelléas et Mélisande« ist, so ungerecht war man gegen Maeterlincks Stück. Die meisten Musiker verteidigten leidenschaftlich den Komponisten auf Kosten des Schriftstellers.

In einem Brief vom 14. April 1902 an die Zeitung »Le Figaro« beklagte sich Maurice Maeterlinck über die von Debussy praktizierten Streichungen.

»So gelang es denn, mich aus meinem Werk auszuschließen«, – schrieb Maeterlinck – »und dieses ward sogleich wie ein erobertes Land behandelt. Willkürliche und absurde Kürzungen wurden vorgenommen, die es unverständlich machten; dafür wurde an dem festgehalten, was ich zu tilgen oder zu verbessern gedachte, wie ich es in der jetzt erschienenen Ausgabe getan habe, an der sich wird ermessen lassen, wie sehr der für die Opéra Comique adaptierte Text vom authentischen Text abweicht. Mit einem Wort: der fragliche ›Pelléas‹ ist ein Stück, das mir fremd, fast feindlich geworden ist; und, jeder Kontrolle über mein Werk beraubt, bleibt mir einzig der Wunsch, daß sein Durchfall prompt und nachhaltig sein möge.«

Man wollte in diesem Zorn Maeterlincks eine rein emotionale Reaktion, einen Fall gekränkten Stolzes sehen: wir wissen immerhin, daß Debussy als erste Interpretin der Rolle Mélisandes die junge Mary Garden an Stelle Georgette Blancs, der Ehefrau Maurice Maeterlincks, wählte. Aber ohne diese Deutung völlig ausschließen zu wollen, muß man zugeben, daß die Kürzungen und Änderungen, die Debussy dem Originaltext antat, oft wirklich auf Kosten des genauen und durchdachten Stils Maeterlincks gehen.

Dieser Rundblick war von einer kurzen Beschreibung des »Théâtre libre« von André Antoine ausgegangen und soll nun zu ihm zurückkehren.

1904 bereitet er die Inszenierung des »König Lear« von Shakespeare vor. Debussy ist in Künstlerkreisen bereits eine bekannte und umstrittene Persönlichkeit. Sein »Pelléas« wird 1902 uraufgeführt; gleichzeitig beginnt der Pianist Ricardo Viñes das Pariser Publikum mit Werken wie »Pour le piano« und »Estampes« bekanntzumachen; die Concerts Lamoureux bereiten die Uraufführung von »La Mer« vor.

René Peter, ein gemeinsamer Freund Debussys und Antoines, ergreift die Initiative, den Komponisten dem Regisseur vorzustellen, der für seinen geplanten »König Lear« einen Musiker suchte. Debussy nimmt den Auftrag an und beginnt eine Bühnenmusik für das Drama Shakespeares zu komponieren, doch scheint es, daß Antoine sich schließlich weder mit dem Stil noch mit den Bedingungen Debussys abfinden konnte. In einem Brief verlangte der Komponist 30 Musiker von Antoine. »Das ist das Minimum, das ich einsetzen muß, denn sonst erhalten Sie bloß das ärmliche Geräusch von Fliegen, die sich die Beine reiben ...« – schrieb er ihm.

Zwei Stücke dieser Fragment gebliebenen Bühnenmusik sind wieder aufgefunden worden: eine Eröffnungsfanfare, die Roger Ducasse nach einer Bleistiftskizze entzifferte und für 3 Trompeten, 4 Hörner, 2 Harfen und Trommel transkribierte, sowie eine Berceuse »Sommeil de Lear« für Flöte, Horn, Harfe und Streicher, deren détailliert ausgearbeitete Partitur gänzlich von Debussy stammt.

c) Die Chansons de Bilitis

1891 macht Debussy im »Cabaret du clou«, das von vielen Künstlern besucht wurde, die Bekanntschaft Erik Saties – des Pianisten des Etablissements – und eines jungen Dichters, Pierre Louÿs, der geschrieben hatte: »Wer ... wird als erster ein Gedicht so genau zu rhythmisieren wissen, daß der Komponist es nur noch zu transkribieren und zu orchestrieren braucht, gewissermaßen nur als Ausführender; wer wird so endgültige Dichtungen schaffen, daß die Musik zu jedem Gesang nur noch die Andeutung einer Begleitung hinzuzufügen braucht, dienend und diskret, damit sich das Werk stolz lyrisches Drama mit Bühnenmusik nennen darf?«

Diese Ideen Pierre Louÿs', nahezu ein Manifest, enthielten provozierendes und fruchtbares Material, auf das sich eine tiefe Freundschaft zwischen dem Dichter und dem Komponisten gründen konnte. Es wurde eine an brüderlichen Diskussionen und gegenseitigen Einflüssen reiche Freundschaft.

1894, drei Jahre nach der Begegnung der beiden jungen Künstler im »Cabaret du clou«, veröffentlichte die Buchhandlung »L'Art Indépendant« *Die Gesänge der Bilitis, erstmals aus dem Griechischen übertragen von Pierre Louÿs* (»Les Chansons de Bilitis traduites du grec pour la première fois par Pierre Louÿs«). Mit diesem Titel wollte der Autor seine Leser irreführen. Der französische Dichter, der auf diese Weise eine griechische Dichterin erfunden hatte, sandte sein Buch einem angesehenen Professor; der Gelehrte dankte ihm und fügte hinzu, er habe das Werk der Bilitis schon lang vor Pierre Louÿs studiert. Genies sind bescheidener als Gelehrte. Claude Debussys Reaktion auf diese raffinierte Poesie, die sich durch einen für die damalige Epoche extravaganten Erotismus exponierte, war voll der Bewunderung. Er ging noch weiter: er komponierte drei Lieder für Gesang und Klavier auf Gedichte aus diesem Werk. Allerdings mußte er zwei Jahre warten, bis er endlich eine Sängerin fand, die diese drei »Chansons de Bilitis« zu interpretieren imstande war. Die Uraufführung erfolgte am 17. März 1900 durch Blanche Marot. Die Kritik beschränkte sich hauptsächlich auf die Beschreibung »dieser kleinen, recht gewagten Gedichte« – wie sich der »Guide Musical« ausdrückte.

Furore machte einzig Pierre Louÿs. Die Direktion der Tageszeitung »Le Journal« schlug dem Dichter vor, in ihrem Konzertsaal einige der »Chansons de Bilitis« rezitieren und mimen zu lassen.

Auch der Direktor der »Variétés«, Fernand Samuel, will die Darbietung für sein Theater übernehmen, verlangt aber eine Begleitmusik zu der rezitierten und gemimten Inszenierung. Pierre Louÿs erbittet die Mitarbeit seines Freundes Claude Debussy: »Bist Du im Kopf frei genug, um acht Seiten Violinen, Pausen und Blechakkorde zu schreiben, die einen sogenannten ›Kunsteindruck‹ in den ›Variétés‹ machen könnten ... ohne den armen Direktor schon vorher zum Heulen zu bringen ... Ich bitte Dich darum, weil ich, wenn ich an Deiner Stelle wäre, zusagen würde; und ich bin überzeugt, daß Du Seiten, die ›absolut von Dir‹ sind, schreiben und zugleich das Publikum der ›Variétés‹ in jene Art von Erregung versetzen kannst, deren Genuß ihm unentbehrlich ist« – schloß Pierre Louÿs.

Doch aus der Vorstellung im »Variétés«-Theater wurde nichts. Die Uraufführung der 12 Melodramen aus den »Chansons de Bilitis« für Rezitation, 2 Flöten, 2 Harfen und Celesta kam vielmehr am 7. Februar 1901 im Festsaal des »Journal« zustande. In derselben Zeitung erschien tags darauf eine abgeschmackte Besprechung: »Die ›Chansons de Bilitis‹, begleitet durch tableaux vivants, deren Anordnung von Pierre Louÿs selbst sorgfältig überwacht worden war, ferner durch eine gewinnende Musik von Herrn de Bussy, errangen einen Begeisterungserfolg. (...) Eine anmutige, ingeniös archaische Musik, die Herr de Bussy, Träger des Prix de Rome, komponiert hat, begleitete die Stimme Fräulein Miltons und bildete mit ihr einen wiegenden Rhythmus, dessen Zauber sich den antiken Schönheiten der Dichtung vermählte.«

Pierre Boulez hat ein halbes Jahrhundert später, im Jahre 1954, diese Komposition Debussys zu ihrer zweiten Aufführung gebracht. Boulez hat auch als erster eine Rekonstruktion des Celestaparts unternommen, denn diese Stimme ist ebenso wie die Partitur bis heute unauffindbar geblieben. Debussy griff 1914 auf diese Szenenmusik zurück und arbeitete sie zu den »Six épigraphes antiques« für Klavier zu 4 Händen um. Nur die Titel der Gedichte von Pierre Louÿs sind geblieben. Die authentische und vollständige Fassung der »Six épigraphes antiques« erleichtert die Rekonstruktion der einzigen verlorenen Stimme der Bühnenmusik zu den »Chansons de Bilitis«.

Vergleicht man die 12 Melodramen auf Gedichte von Pierre Louÿs mit den »Six épigraphes antiques«, so stellt man fest, daß die ursprüngliche Gestalt der Musik kühner in ihrer Konzentriertheit und in der Art der

Behandlung der musikalischen Ideen ist. Die Instrumentalsätze für die Melodramen vermieden – in ihrer Kürze – die konventionelle Organisation der Form. Hingegen herrscht in den »Six épigraphes antiques« im allgemeinen deren dreiteilige Artikulation vor; gewiß handelt es sich dabei nicht um eine banale Wiederaufnahme stereotyper Formen, doch der Vergleich der beiden Werke erweist für die Bühnenmusik eine konsequentere Syntax, die zu einer neuen Rhetorik führt. Die Kurve des dramatischen Überzeugens schlägt hier eine ganz andere Richtung als die von Aristoteles formulierte ein, die seit Jahrhunderten die einzige vertretbare Art zu bezeichnen schien, ästhetische Empfindungen hervorzurufen und zu kanalisieren. »Avec le rien de mystère, indispensable, qui demeure, exprimé quelque peu« (Stéphane Mallarmé).

d) Die Abstraktion im Theater

Fast versteckt unter diesen Theatergeschichten taucht ein Problem auf, dessen Bedeutung und Zukunftsprojektionen Valéry und Maeterlinck ahnten oder sogar voraussahen, aus dem aber andere noch fruchtbarere und kühnere Konsequenzen ziehen sollten.

Maeterlinck brachte dieses Problem, als er es tastend einzukreisen versuchte, zu unschlüssigem Ausdruck, als er in seinen »Menus propos – Le Théâtre« ausrief: »Vielleicht müßte man das Lebewesen gänzlich von der Bühne entfernen.«

Valéry schrieb in dem oben bereits zitierten Essai, wie erinnerlich: »Il m'apparut que mon système poussé à la limite ... excluait méthodiquement l'imitation directe de la vie sur la scène aussitôt que cette imitation eût pu faire oublier le sens profond de l'œuvre, – il m'apparut que ce système s'approchait beaucoup d'une conception liturgique des spectacles ...«

Von einer freilich anderen Philosophie ausgehend will auch Maeterlinck »die unmittelbare Nachahmung des Lebens auf der Bühne« meiden, ja er geht noch weiter: er will »écarter entièrement l'être vivant de la scène«. In Konsequenz dieser Konzeption schrieb er einige Stücke für Marionettentheater, so »Les sept princesses«, »La Mort de Tintagiles«, »L'Oiseau bleu«. In diesem Zusammenhang teilt uns Gaston Compère eine wichtige Tatsache mit: »Die Vorstellung, Maeterlincks Theater sei für Marionetten gedacht, scheint das Spiel der Darsteller bei der Uraufführung von ›Pelléas et Mélisande‹ im Théâtre de l'Œuvre beeinflußt zu haben: die ›möglichst im Zustand der Abstraktion belassenen‹ Personen spielten mit einem gewollten Mangel an Natürlichkeit.« (Le Théâtre de M. Maeterlinck, Brüssel 1955)

Durch diese Inszenierung hat Debussy »Pelléas et Mélisande« kennengelernt.

Der Direktor des Théâtre de l'Œuvre, Lugné-Poe, verfolgte diese von Valéry und Maeterlinck auch für andere Inszenierungen empfohlene Abstraktion stets konsequent. In »La Gardienne« ließ er zum Beispiel die

Personen stumm hinter einem Schleier agieren, während andere Schauspieler, im Orchestergraben verborgen, den Text rezitierten.

Alle diese Forschungen und Experimente berühren das Problem der »Mimesis«: entscheiden sich die einen für die direkte Nachahmung des Lebens auf der Bühne, so die anderen für die Schaffung einer autonomen theatralischen Sprache.

Debussy ist von solchen umgeben, die sich entschlossen haben, auf diesem letzteren, dem kreativen Weg Lösungen zu suchen. Er selbst engagiert sich voll in dieser ästhetischen Erneuerungsbewegung seiner Epoche allerdings nur im Innern seiner Musik, aber wie er die Anziehung von Persönlichkeiten wie Stéphane Mallarmé, Maurice Maeterlinck, Pierre Louÿs, Lugné-Poe erfuhr, so reflektiert seine musikalische Sprache die Probleme seiner Zeitgenossen – und transzendiert sie oft.

e) Neue Formen der Rezitation: Sprechgesang und Klangsprechen

1912, elf Jahre nach der Uraufführung von Debussys Melodramen nach einigen der »Chansons de Bilitis« für Rezitation mit Begleitung von 2 Flöten, 2 Harfen und Celesta, komponierte Arnold Schönberg seinen »Pierrot lunaire«, 21 Melodramen für eine Sprechstimme und ein kleines Kammerensemble. Schönberg schrieb das Werk auf Bestellung einer Schauspielerin, die es im Pierrotkostüm und mit hinter einer spanischen Wand spielenden Musikern uraufführte. Eine gewisse Ähnlichkeit in der Wahl der Klangmittel und der theatralischen Atmosphäre wird man bei Debussy und Schönberg bemerken dürfen. »Pierrot lunaire« und »Chansons de Bilitis« heben die Grenzen der reinen Musik auf und gehen in Theater über, aber auf eigentümlich zurückhaltende Weise.

1916 – mitten im Weltkrieg – schreibt Lothar Schreyer, ein junger deutscher Dichter und Maler, seine ersten Theaterstücke, deren Konzeption völlig neuartig ist. Schreyer legt seine dramatischen Werke in Form von Partituren nieder, in denen er nicht nur den Text, sondern auch die Modulationen der Stimme, die Lautstärke, die Wortrhythmen, die Bewegungen jeder Person bezeichnet: ihre Choreographie. Aber er geht noch weiter: wie Maeterlinck will er die Präsenz des menschlichen Körpers auf der Bühne eliminieren, aber er, der nicht nur ein großer Dichter, sondern auch ein großer Maler ist, entwirft und verfertigt riesige Masken, um die menschliche Gestalt auf der Bühne zu verbergen. Lothar Schreyer spricht von »Ganzmaske«, deren Höhe oft 3 Meter übersteigt. Diese Masken sind geometrische Abstraktionen, in den Spektralfarben gemalt. Der Stil seiner Texte ist von einem ungestümen Expressionismus, die Sprache von äußerster Konzentration; Schreyer eliminiert alle Elemente, die ihm überflüssig scheinen und kreiert von Fall zu Fall neue Vokabeln, die aber stets erschlossen werden können.

Schreyer, der Dichter, erfindet eine Rezitationsmanier, die er »Klangsprechen« nennt, eine Vortragsweise, die er in seinen Partituren hinsichtlich fast aller ihrer Parameter fixiert. Die Konvergenz zwischen Schreyer, der von der theatralischen Deklamation herkommend das »Klangsprechen« erfindet, und Schönberg, der vom Singen über den »Sprechgesang« zum Sprechen kommt, ist merkwürdig. Nach einer Musik für seine Worte forscht der Dichter, nach einer neuen Diktion für seinen Gesang der Musiker.

Valéry, Maeterlinck, Lugné-Poe, Schönberg und Schreyer bilden eine Kette halb gewollter, halb unbewußter Beziehungen, die im Theater und in der Musik zur Zeit Claude Debussys konvergieren, einer Zeit zwischen zwei Jahrhunderten.

IV.

»La Chute de la maison Usher« – ein musikalischer Torso

Baudelaire bekennt in seinen »Fusées«: »(Joseph) de Maistre und Edgar Poe lehrten mich den Gebrauch der Vernunft.«

»M. Maeterlinck ist ... der einzige Mystiker heute. (...) Er drückt sich in klaren, sehr einfachen Sätzen aus, denen aber ein doppelter oder dreifacher Sinn eignet. (...) Es ist dies aufs vorzüglichste das Vorgehen eines Phantastikers. (...) Poe, der Poe des Hauses Usher ist mit Sicherheit sein vertrauter Meister;« – schreibt Lucien Muhlfeld 1897 in seinem Buch »Le monde oú l'on imprime«.

Es scheint sich um eine Konvergenz zu handeln: Maeterlinck und Baudelaire bewundern Edgar Poe gleichermaßen, und Claude Debussy, der mehrere Gedichte Baudelaires und ein Theaterstück Maeterlincks zur Vertonung auswählte, nimmt diese Affinität auf.

Das älteste Zeugnis über Debussys Verhältnis zu Poe ist ein Brief von André Suarès an Romain Rolland vom 11. Januar 1890: »Herr Achille Debussy ... arbeitet an einer Symphonie über psychologisch durchgeführte Themen, deren Idee so manche Erzählung Poes, besonders ›Der Fall des Hauses Usher‹, sein soll.«

Debussy plante also mindestens schon seit damals ein Werk nach Edgar Poe. Doch die Verwirklichung des Vorhabens zieht sich in die Länge. 1902, zwölf Jahre später, entschließt sich Debussy, einen »Conte musical en 2 actes et 3 tableaux d'après ›Le Diable dans le beffroi‹ d'Edgar Poe« zu komponieren. Von diesem Projekt sind nur 7 Seiten Skizzen und 6 Seiten »Notes pour le Diable dans le beffroi«, versehen mit dem Datum des 25. August 1903, in denen zwei Bilder résumiert werden, aufgefunden worden. Drei Seiten musikalischer Skizzen und die »Notes« wurden von Edward Lockspeiser in seinem Buch »Debussy et Edgar Poe« (Editions du Rocher, Monaco 1961) veröffentlicht.

Von der »Symphonie über den Fall des Hauses Usher«, die Suarès 1890 angekündigt hatte, konnte keine konkrete Spur entdeckt werden. Erst viel später, vielleicht 1908, begann Debussy mit der Komposition einer Oper über »La Chute de la maison Usher«. Anläßlich des Geburtstages seiner Frau, am 11. Juni 1909, dediziert er ihr »was vielleicht das Vorspiel zu ›La Chute de la Maison Usher‹ sein wird« – die einzige datierte Seite der Handschrift.

Für beide Opern nach Poe hat sich Debussy die Libretti selber geschrieben.

Edward Lockspeiser veröffentlichte 1961 die in der Bibliothèque Nationale in Paris aufbewahrten Skizzen zu »La Chute de la maison Usher« und zwei weitere Seiten aus Privatsammlungen. Debussys Briefwechsel belegt indes eine derart intensive Arbeit an dieser Oper, daß sich die Annahme aufdrängt, er müsse sie nahezu vollendet haben. Seit Juli 1976 suchte ich systematisch alle Skizzen zu »La Chute de la maison Usher« und fand:

1) »was vielleicht das Vorspiel zu ›La Chute de la maison Usher‹ sein wird« – 1 Seite (Bibliothèque Nationale, Paris, Ms. 14520);

2) ein Manuskript von 21 Seiten (Particell), das der kompletten ersten Szene und dem Beginn der zweiten entspricht (Bibliothèque Nationale, Paris, Ms. 9885);

3) 1 Seite aus der Sammlung Henry Prunières, die das vorige Manuskript fortsetzt;

4) 1 Seite aus der Sammlung Marc Pincherle;

5) 1 Seite aus der Sammlung Arthur Hoérée;

6) 19 Seiten Skizzen aus der Sammlung Madame de Tinan;

7) 1 beidseitig beschriebenes Blatt (British Library, London, Ms. Mescellany 47860);

8) 1 Seite aus der Sammlung André David.

Aus diesem verstreuten Material konnte ich einen musikalischen Torso von 400 Takten rekonstruieren. Die erste Szene ist vollständig, von der zweiten (und letzten) existieren ein langes Bruchstück des Beginns und mehrere kürzere gegen Ende. Auf einem Blatt, das Debussy mit der Anmerkung »pour la fin de la M. U.« versehen hat, stehen die Schlußtakte der Oper. Da und dort notierte Debussy auch bestimmte Orchestrationsideen.

Die Musik zu »La Chute de la maison Usher« treibt die Dialektik zwischen Strenge und Freiheit auf die Spitze. Das Klangmaterial scheint sich ohne Unterlaß zu erneuern, doch geht es dabei eher um eine äußerst raffinierte Variationstechnik. (Beispiel II)

Es ist zu beachten, daß Debussy hier das metrische Korsett und die »Duplikationen« meidet. Dieser Begriff der »Duplikation« ist von André Schaeffner in die Analyse der Werke Debussys eingeführt worden; Schaeffner definiert sie als »ein Verfahren, das systematisch jede melodische Phrase verdoppelt. (...) Ist sie zweimal erschienen, macht sie einer anderen Platz, deren Filiation mit der vorangegangenen stets von subtiler Natur ist.« (»Debussy et ses rapport avec la musique russe«, in: »Musique russe«, tome I, Paris 1953). Hingegen bedient sich Debussy in »La Chute de la maison Usher« dort der »Duplikation«, wo er die Tonalität aufgibt. (Beispiel III)

Diese Musik ist von sehr nuanciertem Tonfall wie Prosa; die klangliche Struktur lebt aus einer Fülle feinster, doch entwickelter Beziehungen; die Konstruktion genügt sich selbst; doch zugleich sind die Beziehungen zwischen Musik und Drama von scharf gesehener Psychologie, die jeden banalen dramatischen Effekt scheut und darüber zum extremen Ausdruck einer *denkenden* Sensibilität wird.

Debussys Deklamation ist zugleich eine Analyse des Textes: die Stimme wird zum Seismographen, der die semantischen, grammatischen und psychologischen Elemente des Textes registriert. Der Akzent — im etymologischen Sinn, auf den Rousseau verwies: ad cantus — verwandelt den Gesang ohne Umweg. Man könnte diese musikalische Prosa, die sich vom Innern des Textes her artikuliert — und infolgedessen frei von jedem symmetrischen Korsett ist —, ebenso als subtile Anwendung der Prosodie verstehen.

Debussy geht von der Tonalität aus, um sie aufzuheben: die Akkorde tonalen Ursprungs sind bei ihm oft mehrdeutig und führen in ein Jenseits der Tonalität. (Beispiel III)

Es ist verblüffend, daß Debussy die musikalischen Ideen, die er in seiner reifen Zeit verwirklicht, bereits um 1890 ganz klar formuliert hatte. Ein Gespräch zwischen Debussy und seinem Lehrer Guiraud, das von Maurice Emmanuel überliefert wurde, bestätigt uns dies aufs überzeugendste. Er habe zu seinem Lehrer gesagt:

»Die Musik steht weder in Dur noch in Moll. Ihr Modus ist nur der, an den der Musiker denkt. Unbeständig!«

Emmanuel erzählt, daß in diesem Augenblick »Debussy auf dem Klavier eine Reihe von Intervallen anschlägt.

Guiraud: Was ist das?

C. D.: Unvollständige, verschwimmende Akkorde. Man muß die Tonart überschwemmen. Dann kann man gehen, wohin man will, und man gelangt dort hinaus, wo man hinauswill. Daher Vergrößerung des Terrains, — und Nuancen.«

Die Kontinuität im musikalischen Denken Debussys ist dem Umfang und der Insistenz nach außerordentlich; man kann sogar Entsprechungen zwischen bestimmten Klangvorstellungen seiner Jugend und seiner Reife nachweisen. So besteht etwa zwischen dem Initialmotiv von »La Chute de la maison Usher« und der zyklischen Zelle des Streichquartetts von 1893 eine frappierende Analogie. (Vgl. das Motiv aus »La Chute« mit der Gestalt, welche die Zelle des Quartetts im zweiten Satz annimmt, s. Beispiel IV.)

»Ein Werk beenden, ist das nicht ein wenig wie der Tod einer Person, die man liebt?

Ein Nonenakkord . . .

Die B's sind blau . . .«

— schrieb Debussy am 22. Januar 1895 an Pierre Louÿs. Die Oper »La Chute de la maison Usher«, die er so sehr liebte, ist Fragment geblieben.

Die Geschichte aller Künste ist in unseren Zeiten durch fragmentarische Meisterwerke markiert: »A la recherche du temps perdu« von Proust, die Romane Kafkas, »Der Mann ohne Eigenschaften« von Musil, »Moses und Aron« und »Die Jakobsleiter« von Schönberg, »Lulu« von Berg, das ganze Werk Marcel Duchamps. Diese Fragmente beflügeln unsere Phantasie und laden uns ein, über die Texte hinauszudenken.

(Aus dem Französischen übersetzt von H.-K. Metzger)

September 1976/September 1977

Beispiel I

"La musique n'est ni majeure, ni mineure. Le mode est celui auquel pense le musicien." (Debussy à Guiraud)

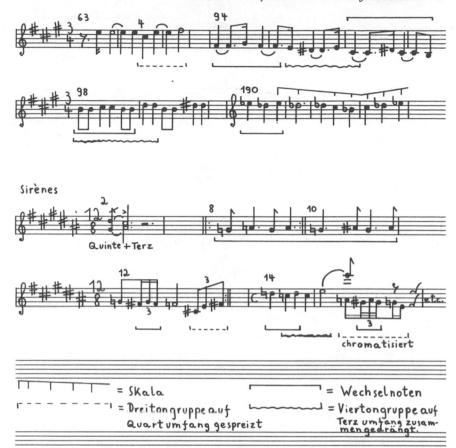

Beispiel II

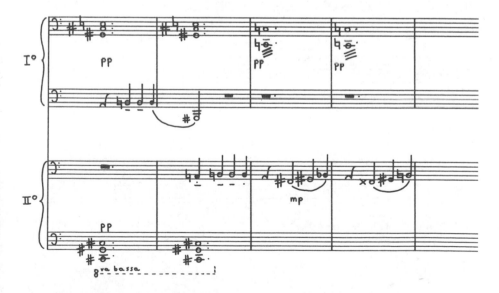

I° PP PP

II° (aus dem Klavierauszug von J. Allende-Blin)

Beispiel III

Roderick 243

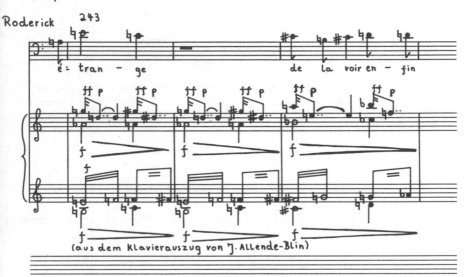

é- tran - ge   de la voir en - fin

(aus dem Klavierauszug von J. Allende-Blin)

Beispiel IV

Lent et douloureux ♩=48   Assez vif et bien rythmé ♩.=112

"La chute de la maison Usher"   Quatuor

Dieter Schnebel

Sirènes oder der Versuch einer sinnlichen Musik

Zu Debussys frühen Orchesterwerken

Das Wort »Nocturnes« ist hier in einem allgemeinen und dekorativen Sinn zu verstehen. Es handelt sich also nicht um die übliche Form des Nocturne, sondern um alles, was dieser Begriff an Impressionen und Lichterspiel erwecken kann. Nuages: das ist der Anblick des unbeweglichen Himmels, über den langsam und melancholisch die Wolken ziehen und in einem Grau ersterben, in das sich zarte weiße Töne mischen. Fêtes: das ist der tanzende Rhythmus der Atmosphäre, von grellen Lichtbündeln für Augenblicke erhellt; ein Aufzug phantastischer Gestalten nähert sich dem Fest und verliert sich in ihm. Der Hintergrund bleibt stets der gleiche: das Fest mit seinem Gewirr von Musik und Lichtern, die in einem kosmischen Rhythmus tanzen. Sirènes: das ist das Meer und seine unerschöpfliche Bewegung; über die Wellen, auf denen das Mondlicht flimmert, tönt der geheimnisvolle Gesang der Sirenen, lachend und in der Unendlichkeit verhallend.

Claude Debussy

Beim ersten Hören der Musik von Edgard Varèse ist man ebenso bestürzt wie fasziniert von der Körperlichkeit ihres Klangs. Das, was Klang ist, nämlich vibrierende Luft, wird in Varèses Musik geradezu leiblich erfahrbar: man hört die Schwingungen nicht nur, sondern man spürt sie auf der Haut, so daß man solche Musik eigentlich ohne Kleider vernehmen sollte, um die Beschallung möglichst allseitig aufzunehmen; in die Klangfülle nicht nur mit den Ohren, sondern ganz einzutauchen.

Mit der Musik Claude Debussys verhält es sich ähnlich: auch hier wird gewissermaßen ein Klangbad bereitet, freilich ein luftigeres als bei Varèse, das den Schall nicht so sehr gebündelt, in scharfen Strahlen auf den Hörer aufprallen läßt, als vielmehr ihn ätherisch umspielt, wobei er hie und da auch von harten Luftstößen getroffen wird. Die unmittelbare Bildhaftigkeit gerade der frühen Orchesterwerke Debussys (L'Après-midi d'un Faune und Nocturnes), kraft welcher sich die Titel quasi in akustische Filme umsetzen, die das Optische assoziieren, beruht auf der Gestaltung klanglicher Atmosphäre, ständig sich wandelnder Luftverhältnisse, in denen auch die Temperaturen von großer Bedeutung sind.

In L'Après-midi d'un Faune mündet die Musik immer wieder in Klänge mit naturtönigen Spektren (Sept- und Nonenakkorde mit dem Aufbau Quint, Quart, große Terz, zwei kleine Terzen, eine große Terz) von warmer Instrumentation, wo Hörner und Harfe weiche Grundierung geben; aus solchen Klängen entfließen dann wieder andere mit geschärften Farben. Das Hin und Her, durch das sich die Linien der Soloflöte schlängeln, erzeugt einen ständigen Wandel der atmosphärischen Dichte, ohne daß die mediterrane Temperatur je verlassen wird, welche in den Frühwerken Debussys insgesamt vorherrscht.

Nichtsdestoweniger sind die Nuages kühler getönt. Hier sind es die meist nur zweistimmig geführten, quintig kargen Klänge der Holzbläser, von denen die Musik ausgeht und ebenso in sie eingeht. Auch wenn sie sich anwärmt, etwa indem die Streicher die Melodik des Anfangs dreiklanghaft aufgefüllt übernehmen, bleibt sie im allgemeinen doch gedämpft – durch Sordinierung und zurückdrängendes Piano –, und in den Kontrastteilen sorgt die herbe Farbe des Englischhorns oder die Farblosigkeit der Flöten für Abkühlung.

Auch die wirbelnden Klänge der Fêtes sind eher abendlich kühl: das ständige Staccato und der häufige Rückgang ins Piano läßt sie plein-airhaft verweht erscheinen, welcher Eindruck auch durch plötzlich hervortretende Nähe, ja Über-Nähe – etwa der Trompetenfiguren – nicht verwischt wird, ist ihnen eher doch das Verschwinden wesentlich. Nähe und Ferne wechseln ständig, wobei die Ferne überwiegt, die Musik sich wieder und wieder zurückzieht, als würde sie von plötzlich sich drehenden Winden weggetragen; was zudem den Eindruck des spukhaft Unwirklichen erweckt. Die Fêtes spielen etwas abseits und – wie vielleicht alle Feste – im Irrealen.

Die Sirènes freilich sind da, so sehr sie auch aus mythologischer Weite herübersingen: die Klänge haben füllige Präsenz, verströmen ungedämpft – und sie tönen warm, ja schwül. Wie in L'Après-midi d'un Faune schaffen naturtönige Spektren aus den konturlosen Klängen von Hörnern und tiefen Streichern, sowie den verfließenden der Harfe, eine fast stets präsente wohlige Atmosphäre. Die Sirenentöne des Frauenchors steigen aus ihr hervor und sinken auch wieder in sie zurück, so daß sich hier ein ähnliches Spiel ergibt wie in Fêtes das von Nähe und Ferne, wobei es allerdings heiße und mittägliche Luft ist, welche die Klänge ausdünstet und wieder aufsaugt.

Debussy schafft die besondere Atmosphäre seiner Stücke teils durch spektrale Strukturierung der Töne und eine quasi physiologische Disposition der Farben, teils durch eine ebensolche der Rhythmen und der Klangformen. In der spektralen Gestaltung der Töne reicht die Skala der Möglichkeiten von der Bildung einfacher Intervallverhältnisse wie Oktaven, Quinten, Quarten bis hin zu der von komplexen Verbindungen – etwa von Sekundklängen –, die ins Geräuschhafte übergehen; von der Bildung ausgefiltert dünner Spektren bis fülliger, wo die Töne naturtöniger Reihen zum Ganzen vereinigt werden; von der Bildung eng beieinanderliegender Tonverbindungen bis zu konträr gespreizten[1]. Der rhythmische Bereich ist analog strukturiert. Auch hier gibt es einfache bis komplexe Zeitspektren – den periodischen Fluß des Pulses bis hin zur Polyphonie verschiedenster Rhythmen; die regelmäßige Pulsgliederung des beibehaltenen Taktes bis hin zur unregelmäßigen ständiger Taktwechsel, und ebenso wichtig ist die Disposition verschiedener Dichten[2]. Die Farben werden vom Empfinden für ihre physiologische Wirkung her skaliert: sie reichen von kalt bis warm, und in ihrer Verbindung von karger Eintönigkeit bis zu leuchtender Buntheit. Die Tonformen aber bilden zusätzliche Weisen von Vibration – etwa die rasch bebenden von Tremoli, die aufgeregt zitternden von Zungenstößen und anderen Staccatorepetitionen, die wirbelnden virtuoser Figuren oder die schwelgerischen von gebrochenen Akkorden; und zudem finden sich langsamere – etwa die weich pulsierenden von crescendo-decrescendo-Vorgängen. Aus all diesen Komponenten schafft Debussy eben jene Atmosphäre schwingender Luft, in der die Rhythmen und Tonformen die unmittelbare Vibration erzeugen, die weniger direkt wahrnehmbaren Schwingungsspektren von Tönen und Farben gleichsam die Temperatur – dies im Wortsinn: sowohl Kälte-Wärmeempfinden als auch Stimmung. Jedem Werk aber ist eine spezifische Atmosphäre eigen, und der musikalische Verlauf äußert ihren Wandel.

Der Hörer wird von solch klingender Luft umfangen. Mal hüllt sie ihn ein, mal läßt sie ihn erschauern; teils sind es wachmachende, prickelnde Reize der ihn umgebenden schwingenden Luft, teils eher einlullende. Also wird der Klang unmittelbar sinnlich erfahren – und zwar nicht nur übers Ohr, sondern auch gewissermaßen taktil: die Vibrationen berühren, ja gehen unter die Haut; fast lassen sie sich noch riechen und schmecken und selbst noch mit den Augen wahrnehmen, wie das Erzittern oder die träge Wellenbewegung von heißer bzw. südlicher Luft sich ja auch sehen läßt.

Die solchermaßen sinnliche Musik Debussys, der sonst dem musikalischen Symbolismus zugerechnet wird, ist seltsam unsymbolisch. Ihre Gehalte vermitteln sich nicht so sehr durch musikalische Figuren, durch die Aussagen von thematischen Gebilden, Akkordverbindungen und ähnlichem, als vielmehr durch die sinnliche Erscheinung des Klangs, etwa

---

[1] Siehe hierzu: D. Schnebel, . . . Brouillards. Tendenzen bei Debussy, Denkbare Musik (Köln 1972), S. 72 ff.

[2] Siehe hierzu: Kh. Stockhausen, Von Webern zu Debussy, Texte I (Köln 1963), S. 75 ff.

jener Schwingungen der Luft und deren Veränderungen sowohl in der Horizontalen – die Abfolge von Schwingungsverläufen –, als auch in der Vertikalen – deren simultane Kombinationen –, welche freilich sekundär wiederum figuratives, ja symbolisches Wesen annehmen. So begegnet in Sirènes zunächst ein Klang in harmonischen Schwingungsverhältnissen: ein Fis-Spektrum wird aufgebaut. Die Kontrabässe bilden den Basisklang der Quint (Fis-Cis), der in den Violoncelli (eine Oktave höher) bereits zu pulsieren beginnt. Die Harfe bringt einen nach »oben« führenden Bewegungsimpuls, der von den Hörnern unter Einführung »höherer« Töne des Spektrums aufgefangen wird, aber in den Klarinetten wiederum mit noch »höheren« Spektraltönen quasi ein Echo findet.

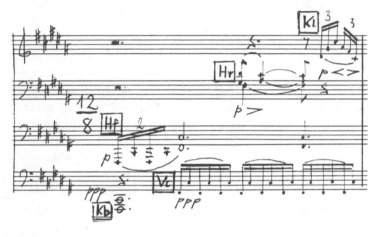

Die nächsten Takte variieren die drei verschiedenen Schwingungsimpulse von Takt 1 – so T. 3 durch Häufung der Klarinettenfiguren, T. 4 durch Auffüllen der Harfenfiguren zu regelmäßigem Pulsieren. Die folgenden drei Takte bringen eine variierte Wiederholung des Vorgangs von T. 1–4 über dem Ton A (andere Farben: EH + Fg statt Hr, Ob statt Kl). T. 8–11 ist eine weitere Variation, diesmal über den Ton C unter stärkerer Einbeziehung der oberen Teile des Spektrums und mit Streichertremoli, sowie in untrioliertem Metrum ($^4/_4$ bzw. $^8/_8$ statt $^{12}/_8$).

Demnach nimmt man in den Schwingungsspektren zu Anfang von Sirènes erst einen aus der Tiefe heraufdrängenden Impuls wahr, der weich abgefangen wird, dann oben nachzittert; welcher Vorgang sich wiederholt und in regelmäßige Auf-Ab-Bewegungen übergeht. Ein zweiter Anlauf der drei Impulsbewegungen, der wiederum in das regelmäßige Auf-Ab hineingleitet, und schließlich ein dritter in fahleren Farben und in starker Vibration. Symbolischer – und unter assoziativer Erinnerung an analog klingende Vorgänge läßt sich der Schwingungsverlauf dieser ersten elf Takte der Sirènes – zumal wenn man die Tonhöhenlinien berücksichtigt – auch folgendermaßen beschreiben: eine anrollende, aufspritzende Woge, die sich im Rückgang mäßigt, nochmals leicht wirbelnd nachläuft; dies ein zweites Mal, und nun ein allmähliches Einpendeln zu regelmäßig anbrandenden Wellen. Und wieder die aufspritzende Woge, die sich zur hin und her rollenden Wellenbewegung sänftigt, diesmal aber in anderen Farben schillernd. Schließlich kommt noch das Fächeln des Windes hinzu. In alledem aber tönen die umschmeichelnden Rufe der Sirenen, erst fast unmerklich, dann zweimal kurz hörbar werdend und wieder verschwindend.

Also schafft die Drastik der in bestimmter Weise strukturierten Atmosphäre auch bestimmte Inhalte. Tatsächlich wirken die summenden Frauenstimmen als solche der Sirenen, insofern sie nämlich in die Wellenbewegungen mit ihren warmen Spektren eingebettet sind, sowohl in die realen der schwingenden Luft als auch in die symbolischen, welche eben diese darstellt. Nachdem die Sirenenlaute erst kaum wahrnehmbar und mit dem »Spiel der Wellen« vermischt erschienen, treten sie im folgenden drängender hervor. Eine schalmeiartige Figur des Englischhorns leitet in wirkliche Lockrufe über (Partitur S. 75, T. 3), die sich bald zu strömenden Gesängen steigern, welche von den Wellenfiguren der umgebenden Musik getragen werden. Die Wogen geraten kurz in Unruhe, während der die Stimmen verstummen (S. 83, T. 3 f); dann setzt der Gesang wieder ein, führt zu einem ersten schwelgerischen Höhepunkt (S. 87, Ziffer 5) und geht zurück, derweil sich das Jeu des Vagues beruhigt. Die siestaähnliche Stille (S. 85 »un peu plus lent«) wird von weichen Wellen durchzogen (Figuren in Terzparallelen, die alternierend durch die Instrumente wandern). Der Sirenengesang tönt »doux et soutenu« – und eigentlich müde und schlaff, dadurch erst recht betörend (wieder die Nonenakkorde der naturtönigen Spektren und eine ähnliche Folge der Grundtöne wie zu Beginn: dort Fis, A, C, hier Des, C, A). Das »belebt sich hauptsächlich im Ausdruck« (S. 91, Ziffer 6) und führt zu einem zweiten, allerdings rein instrumentalen Höhepunkt, während dessen die Stimmen pausieren (S. 93, Ziffer 7). Dem folgt nochmals das Spiel der Wellen zusammen mit dem müden Gesang, nun aber nicht »süß«, sondern »verhalten ausdrucksvoll« (S. 95, Ziffer 8), bald auch drängend und nochmals in die ziehenden großen Melodien mündend, die sich jetzt endgültig verströmen (S. 101 f.). »Doux et expressif« ertönt ein letztes Mal die müde Stelle – in großer Ruhe (S. 106, T. 2 f., über einem langstehenden Spektrum), befriedigt oder resigniert? In der Coda geht die Beruhigung weiter, »plus lent et en retenant jusqu'à la fin«, währenddessen die Sirenentöne im allgemein zarten und fernen Klang und in den letzten Wellenbewegungen untergehen. Die Beschwörung des mythischen Gesangs der Sirenen durch Gestaltung ihrer Atmosphäre ist zu Ende und sie versinken in ihr, mit ihr.

Die Strukturierung solch luftiger Bereiche geschieht beim frühen Debussy nach den Modellen von Vorgängen der Natur, des Lebens – oder aber eben von erfahrungsträchtiger Mythologie. Derartige Prozesse werden gleichsam phonographisch aufgenommen und ins Medium der Musik transformiert. (Daß Filmmusik seit je starke Affinität zu Debussy hatte, dürfte daher rühren.) Zunächst wird die sensuelle Seite der Musik durch Gestaltung von Schwingungsvorgängen pointiert. Indem diese Prozesse aber wiederum Sinnliches darstellen, Entsprechungen bilden zu den Sensationen der Natur und des Lebens, wird die Sinnlichkeit gleichsam potenziert: das unmittelbar sinnliche Erlebnis der Schwingungsvorgänge vermittelt in seiner besonderen semantischen Ausformung nochmals Sinnlichkeit. Anders als die Musik Wagners drückt die Musik Debussys nicht Sinnlichkeit aus, vielmehr ist sie es. Sie spricht nicht von den Lockungen der Sirenen, sondern läßt sie selbst erscheinen.

Gleichwohl ist die Sinnlichkeit von Debussys Musik kühl. Der unbeschreibliche Wohllaut der Sirenen berührt nicht so tief wie die Gesänge Tristans und Isoldens, obschon dort die Sinnlichkeit weniger direkt und viel mehr symbolisch dargestellt wird. Das mag einmal daran liegen, daß die Präsentation des unverhüllt Sinnlichen unsinnlich wirkt, ähnlich wie das Modell des Malers zum Abstraktum wird. Zum anderen nimmt die protokollierte Sinnlichkeit nur die Oberfläche auf, und die Aufnahme selbst geschieht emotionslos kühl. Ist im einen Fall der zu zahlende Preis die Erotik, so im anderen das Gefühl.

Debussy mochte das von seinem quasi naturwissenschaftlichen Standpunkt aus und von seiner auf Distanz bedachten Ästhetik her in Kauf nehmen. Nichtsdestoweniger hat er dem entgegengewirkt, nämlich durch Beschwörung des Mythologischen, wo die tiefen Gehalte der menschlichen Erfahrung bewahrt werden. Allerdings sind es denn doch nicht die großen Gefühle, die aus jener Tiefe heraufdringen, eher die wohlig müden und schlaffen. Indes, vielleicht ist die Lockung der – zumal von Debussy ohnehin leicht modern getönten – Sirenen eine bloß kalt gleißnerische, der man einfach verfällt, und nicht die wahre, der man sich dran- und hingibt, weil sie zuinnerst berührt und ergreift. Zudem sind es ja doch nicht – bei aller unmittelbaren Vergegenwärtigung – die wahren Sirenen, die in der Musik locken, sondern eben ästhetische: der Hörer übersteht sie, sogar ungefesselt. Die Erfahrung des Odysseus in die Kunst einzuholen – das wäre erst noch zu vollbringen.

Freilich sind für Debussy die Sirenen nicht nur eben solche und auch nicht bloß klangliche Sinnbilder der Lockung – sondern des Meeres selbst. Dieses aber war für das frühe mythologische Denken der Ursprung des Lebens, und die tiefe menschliche Sehnsucht nach dem Meer mag der Rückkehr in den archaischen Urzustand des Lebens gelten, verwandt und vergleichbar dem im Mutterleib. So erweist sich in Debussys Deutung die Lockung nicht so sehr als eine die hineinzieht in die Urgewalt des Sinnlichen, sondern als eine, die hinabzieht in eine alles umhüllende arché – des Ursprungs schlechthin.

Markus Spies

» Jeux «

Der folgende Text versucht, einige Bewegungslinien der musikalischen Strukturen nachzuzeichnen.

Der Beginn belegt, fern allem Thematischen, bewegliche Konstellationen einfacher Ausgangszellen: Im ersten Takt[1] ist durchs Verhältnis des liegenden h zu his' und his' zu cis' die kleine Sekunde, durch cis' zu h die große Sekunde eingeführt, der zweite Takt ergänzt die Kette kleiner Sekunden durch d zu cis. Die Akkordfolge in Takt 5 hat dann zwei Komponenten:

1.
Einen durch drei große Sekunden im Abstand kleiner Sexten gebildeten Ganztonakkord, sein Spezifikum ist darüberhinaus – wie das aller Akkorde, die einen Intervallzirkel vollständig beinhalten –, daß er auf seine sämtlichen Stufen transponiert werden kann, ohne daß der benötigte Vorrat absoluter Tonhöhen sich ändert. Die Bewegung dieses Akkordes, dessen Spitzenton g" (verdoppelt) der erste Melodieton ist, um das konstante Transpositionsintervall der großen Terz hat folglich etwas Statisches: die Sekundtripel ändern bloß Klangfarbe und/oder Register:

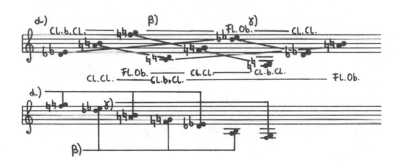

Die Disposition des Ganztonakkords hat in Verbindung mit dem Transpositionsintervall, das zwischen den »realen«, relativen Tonhöhen des Akkords *nicht* vorkommt, die sehr bedeutsame »Nebenwirkung« der Komplementarität von Tonhöhen in je zwei aufeinander folgenden Akkorden: f' g' und des" es" in β) decken genau die Tritonuszwischenräume in α) es'-a' und h'-f" durch große Sekunden ab: Statik liegt hier also in der Konstanz absoluter, Dynamik in der Komplementarität relativer Tonhöhen.

[1] Zitiert wird nach der Originalausgabe bei Durand in Paris.

2.

Den verdoppelten Spitzenton mit ergänzter großer Terz abwärts, der sich mit dem Akkord 1. bewegt. Die Vertikale mit großen Terzen wird in Ziffer 5 bei der Wiederkehr dieser Struktur durchs h" zu g'"-dis'"-h" komplettiert.

Das Intervall der großen Sekunde wandert übrigens in die Streicherpartie mit dem Einsatz der ersten Violinen auf a" ('") und h" ('") ein. Simultan zu diesen Vorgängen in der Ganztonskala wird das erste Intervall der chromatischen Figur in Harfen und Horn wiederholt, der dritte, einzelne Ton wird aber, rhythmisch placierungsgleich, aufs eis', also in die Ganztonskala hinein-transponiert und um ein Achtel verkürzt, wodurch, nach Hinweis von Claudia Maurer-Zenck, das Changierende in der Klangfarbe, wie es sich aus dem unterschiedlichen »envelope« von geblasenem und verhallendem Ton ergibt, eingeengt wird. Wollte man dies eis' symbolistisch deuten, ließe sich sagen, daß die Chromatik von den »maints nubiles plis« des Ganztonvorhangs »unterdrückt« werde.

Wie sorgfältig Debussy die Transpositionsverhältnisse der drei Komplexe, den ersten Baßton des Scherzando-Teils eingeschlossen, konzipierte, zeigt folgende Aufstellung:

Die Terzenkette der Oberstimme des Bläserkomplexes und die Harfe/ Horn/Celesta → Violoncello/Kontrabaß-Stimme stehen also wieder komplementär zueinander, und wieder eine Terz führt zum Anfangston der Scherzando-Figur; ihr chromatisches Material entstammt unüberhörbar der Stimme, deren implizite Fortsetzung sie bildet. Die Figur tritt in zwei Transpositionen und einer perkussiven Version auf, diese drei Figuren sind zweitaktig, einen Takt dauern zwei weitere, deren Ableitung noch gegeben wird:

Verfolgen wir zunächst grob den Ablauf[2], wobei die isoliert stehenden Beckenschläge wie in asiatischer Musik die Anfänge zweier Abschnitte und das Ende des letzteren markieren:

I	II		
a c a' d d b	a c' a' b b	$b_2\, e_1\, e_2$	$b_2\, e_1\, e'_2\, e'_3$

[2] Von Ziffer 1 bis einen Takt nach Ziffer 4.

Dies Schema weist auf einen Sachverhalt, den es mikrostrukturell nach-zuweisen gilt. Abschnitt II ist bedeutend länger als Abschnitt I und ver-läßt zunehmend das in I etablierte Zellengewebe, das zu Beginn noch wiederkehrt. Besonders die Entwicklung b → b_2 → e_1 läßt erkennen, daß die Zellen nicht sowohl durchgeführt als *weitergeführt* werden. Dieser Aspekt betrifft schon die erste Verknüpfung zwei Takte vor Ziffer 2: Das Ais scheint von einer regulären Fortsetzung der Zelle **a** deriviert, deren 1., 3., 5. Ton ja jeweils fallende Kleine-Sekundabstände haben, bei 5. → H wär folglich 7. → Ais. Andererseits nimmt die Vorschlagsnote in der Harfe ein Element aus **c** auf, das in der Tonhöhenversion **a** dieser Figur an der korrespondierenden Stelle mit genau den Tonhöhen verbun-den ist, die jetzt in der Harfe liegen: $(1,2,3,)a_2$ werden nun umgruppiert in $(3/1,2)a_2$; wie sich jetzt die große Sekunde (Ligatur in **a**!) verselbstän-digt, wird umgekehrt das His zwei Takte später zum Ausgangston für Zelle **b**. – Festgehalten sei zwischendurch, daß in den besprochenen zwei Takten die Tonhöhenentwicklung sistiert ist, dafür aber erhebliche Re-gister- und Klangfarbenwechsel die Gruppe (his–cis–dis), nennen wir sie **d**, immer neu beleuchten. **b** wird nun auf eine ganz unorthodoxe Weise mit Nebenstimmen versehen, indem diese Zelle nach einem sinnvollen Krite-rium in Bestandteile zerlegt wird; diese Bestandteile geben hier jeweils gleichsam nur *einen* Vektor der Figur wieder:

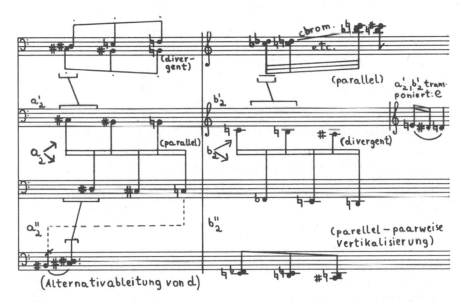

Solch ein »Vektor« kann sich, wie bei **d** und **e** der Fall, zu einer neuen Figur formen, oder er wird in der gleichen bzw. Gegen-Richtung der Figur, die er »zerlegt«, entweder strukturredundant (also die Knotenpunkte ver-stärkend) oder kontrastierend (die Knotenpunkte z. B. durch rasches Ge-gentempo abschwächend) fortgesetzt. Ich weise absichtlich auf diesen fle-xiblen Funktionszusammenhang hin, da ja aus solchen und ähnlichen

»Stellen« zuweilen eine äußerst blasse Winkelmesser-Stilistik abgeleitet worden ist: Nachgerade kosmische Bewegungsrichtungen schwirren neblig durch einen nicht näher definierten Raum, und sie zerstieben dann auch mit der Durchschnittsgeschwindigkeit von Sternschnuppen, diese pseudo-statistischen »Nebelbildungen im Gehirn« ... Auch kann die eben beschriebene Zerlegung nicht als pointillistische Dekomposition gedeutet werden, denn sie ersetzt das Ausgangsstadium nicht, sondern erklärt es gleichsam, wenn etwa die »Vektoren« zu b_2 jeweils ein charakteristisches Intervall herausfiltern. Von hier aus komponiert Debussy nun die Entwicklung des zweiten Abschnitts; zunächst erscheinen die Hauptfiguren oktaviert; die erste Asymmetrie zwischen I und II liegt dann im Fortfall der Zelle d in II. An ihrer Stelle erscheint jetzt gleich das Ergebnis jener Takte aus I: b auf c', cis'-dis' in den Klarinetten, welche Gruppe in neuen Zeitwerten (Hemiolen, zu Beginn verdoppelt) in Gegenbewegung zu b'_2 fortgeführt wird, sich vom »Vektor« zur Stimme emanzipiert: Die Struktur entwickelt ein polyphones Prinzip ansatzweise aus der Fortsetzung ihrer eigenen Bewegungs-Formen. Nach der viertaktigen Periode mit doppelt auftretendem b (2 + 2 Takte) verdichtet sich die Entwicklung: b wird auf b_2 – nicht oktaviert – reduziert, das mit einem neuen Anhang, nämlich e, als zweitem Takt erscheint; mit einem freien chromatischen Auftakt der Oboe, der permutiert das Tonmaterial von b_2 rekapituliert (b'''_2), wird eine neue Transposition von e eingesetzt, die Phrasen greifen bereits periodenkürzend ineinander:

$$1 \; \lfloor b_2, e_1 \rfloor$$
$$\lfloor b'''_2, e_2 \rfloor$$
$$2 \; + \; \underline{1 \; \text{Takt(e)}}$$

Etwas uminstrumentiert setzt der gleiche Vorgang nochmals ein, diesmal aber wird der letzte Wert von e_2 halbiert und dem so auf Hemiolenlänge gebrachten Modell wieder eine neue Transposition angehängt:

$$2 \; \lfloor b_2, e_1 \rfloor$$
$$\lfloor b'''_2, e'_2, e'_3 \rfloor$$
$$\underline{1 + 1 + 2/3 + 2/3 \; \text{Takte}}$$

In diesen Hemiolen treffen nun zwei Vorgänge aufeinander, nämlich die beschriebene Diminution mit einer Augmentation eines chromatisch steigenden Verlaufs in den Violoncelli I, dessen drei letzte Töne in 1 den dritten Takt ausmachten, und in 2, auf Hemiolen gedehnt, von den übrigen Streichern (außer Kontrabaß und Violoncello II) im pizz. harmonisch anreichernd gestützt werden. Diese *Verdichtung des Prozesses auf eine Figur* faßt Debussy in einer Antiphonie »en miniature« zusammen, die den Bläserblock in Oktaven gegen die Streicherharmonie setzt. Dabei wächst

die Antiphonie langsam aus den Hemiolen heraus, denn in 2 überschneiden
sich Streichereinsätze noch mit Phrasenanfängen der Holzbläser:

Die frappierende Konsequenz dieses »Scherzando«-Abschnitts als Prozeß,
der zunehmend Reprisen abschüttelt, die strikte Dominanz von großen
und kleinen Sekunden zumindest in der Horizontalen, besonders das Verfahren der »prolifération« (Boulez), der sich steigernden Figurenvielfalt
auf einer Grundstruktur, das die Konstruktion offener Verläufe gestattet,
dies alles rückt das Ganze wohl in die Nähe serieller Verfahrungsweisen;
doch muß auf offenkundig Traditionelles aufmerksam gemacht werden:
Etwa stehen a und b noch entfernt im Vorder-/Nachsatz-Verhältnis, wenn
man, wie der Kontext nahelegt, h als latenten Grundton hört: a schließt
auf der phrygischen Sekund, b auf dem Grundton. Und e ist deutlich mit
einer tonal-harmonischen Idee verbunden: dem Sextvorhalt überm liegenden »Dominantsept«-Akkord – die Streicherharmonie in der »Antiphonie« kristallisiert ihn ebenfalls –, der – mit e – einen Halbton aufwärts
fährt, wobei sich Debussy raffiniert der Cellostimme und der Violinen zur
»Lieferung« der Akkordtöne bedient. – Insgesamt bleibt er chromatischen
Transpositionen treu:

Horizontale und Vertikale folgen also zumeist noch verschiedenen Ge-
setzen, haben differierende Ausprägungsstufen. Die konstitutiven Intervalle stehen nicht in einem spezifischen Klangraum wie bei Webern, sondern bleiben an Skalenverläufe, entfernte Tonalität gebunden. Fürs Verhältnis der Stimmen zueinander sei doch vorsichtig eine Analogie zur
Malerei angedeutet: 1913 (!) wurde von Larionow das »Rayonnistische
Manifest« veröffentlicht, in dem betont wurde, »zwischenräumliche Formen« zur Geltung bringen zu wollen, die bei von verschiedenen Objekten
reflektierten Strahlen entstehen. Sieht man Bilder wie die »Katzen« von
Natalia Gontscharowa, so realisiert sich das Objekt vermöge einiger Tan-
gentiallinien, die seine Konturen nur je teilweise wiedergeben, zugleich
darüber hinausragen. Die poetologische Affinität Debussys hierzu scheint
erwähnenswert, wenngleich das Innovatorische seines Verfahrens, die Ableitung struktureller Nebenstimmen mit mehr oder minder großer Autonomie durch den »Rayonnismus« kaum abdeckbar sein dürfte.

Im weiteren Verlauf von Jeux entwickelt Debussy die Zellen [a₂]/b₂, indem er das Verschiebungsintervall zwischen geradzahligen und ungeradzahligen Tönen (numeriert nach der Stellung in der Figur) charakteristisch variiert und durch rhythmische Veränderung neue Zellen ableitet, die dann auch anders organisiert werden: bei Ziffer 6 taucht im Englischhorn eine Übergangsfigur auf, die in Konkordanz zur »ungeordneten« Struktur an dieser Stelle (ich komme darauf zurück) in einer irregulär verkürzten Version des später erscheinenden Rhythmus für die gleiche melodische Figur abläuft:

Hier ist das Verschiebungsintervall von b'₂ von der kleinen Sekunde auf die kleine Terz gesprungen. An weit späterer Stelle, bei Ziffer 51 ist das charakteristische Intervall die große Terz:

Die Funktion dieser Verschiebung erklärt sich aus dem noch zu analysierenden Kontext; diese Beispiele belegen zunächst deutlich die Beweglichkeit im melodischen »Material« von Jeux.

Wie solche Mobilität mit ähnlichen Zellen ganz unterschiedliche Gestalten bilden kann, läßt sich an e gut verfolgen: In der Rekapitulation des Prélude bei Ziffer 5 haben sich die Harfen nun völlig der Ganztonskala angepaßt, während die Streicher in vier Oktaven, deren Registerlage die Bläserklänge umrahmt, die motivische Terzenkette durch aus e abgeleitete Zwischennoten ausfüllen, wie wenn Hände über die »plis« des Vorhangs strichen, um ihn zu öffnen – dabei wird e ständig geringfügig nuanciert, in Funktion der Horizontalen: Debussy verwendet die Terzenkette in den Streichern nur einmal, das f'' zwei Takte nach Ziffer 5 erinnert ans eis' drei bzw. einen Takt vor Ziffer 1 (Horn, Harfe, Celesta), dann bleibt die Bewegung auf dem h stehen (die Phasenverschiebung zwischen den drei Abläufen der Terzenschichten erweitert das konstatierte Komplementaritätsprinzip:

Um im Bild zu bleiben, nach der Vorhangbewegung sind die Hände gleichsam allein auf der Bühne: e erscheint in zwei einander antwortenden Figuren, die aus dem Vorigen sich herleiten:

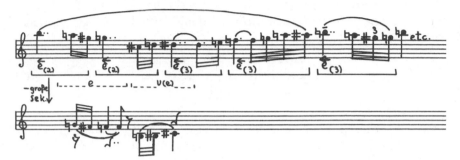

Die Verkürzung der beiden kleinen Werte und die gleichzeitige Verlängerung des großen: ♩♩♩ → ♩♩♩.. kann sich bis zu deren Reduktion auf Vorschläge radikalisieren: ♩♩. In dieser Form bildet e eine Überleitungsfigur ab neun Takte nach Ziffer 4, auch hier in Doppelform, wobei sich in Trillern die kleine Sekunde verdichtet, um in die ersten Töne der folgenden Melodie zu gerinnen. Solche Überschneidung in die Vertikale kann wiederum innehaltende Funktion haben, wenn etwa zwei Takte nach Ziffer 80 die Figur e in der gleichen Transposition und rhythmischen Form wie vorhin auftritt, aber im Verlauf des Taktes in Triller aufgelöst. Diese fluktuierende, stehende Klangschicht wird mit der stark bewegten Harfenfigur kombiniert, dann werden beide Schichten auf »Punkte« reduziert. Bereits an solchen, noch relativ einfachen Stellen zeigt sich das Problem der Beziehung von horizontalen zu vertikalen Organisationen. Letztere oszillieren – manchmal für identische Horizontalstrukturen – zwischen statischen Texturen, zunehmender Anpassung an den horizontalen Verlauf bis hin zu harmonischen Zellen, die sich mixturartig mit der Tonfolge parallel verschieben. Einen der komplexesten »Fälle« in der Partitur weist die Struktur auf, die bei Ziffer 33 zum ersten Mal angedeutet wird. Sie wird belegen, wie eng bei Debussy Harmonik, Thematik, Klangfarbenorganisation und momentane, athematische Figuren verschränkt sein können:
Die Zelle $[\text{cis} <^c_d]$ zu Beginn von Ziffer 33 wird entsprechend ihrer inneren Gliederung in der Figuration der zweiten Geigen auf Horn + Violine I/3e pup. und auf 2 Flöten + Violine I/1e, 2e pup. verteilt. In den Fagotten setzt dann eine Version von e in der Doppelform wie nach Ende des Prélude ein:

Das Innenintervall ist dabei vergrößert, sodaß der Neueinsatz in der Oktave des Ausgangstons eine Beziehung der gegenläufigen Chromatik zu der Zelle (Ziffer 33) herstellt, die, ohne Oktave, mit nur je einer Sekunde, den gleichen Vorgang ausführt. e wird verselbständigt chromatisch abwärts sequenziert (also im Abstand kleiner Terzen) gegen eine chromatisch aufwärts führende »Sequenz« der Ausgangszelle. – Nach der Unterbrechung durch eine frühere Struktur wird mit veränderter Figuration neu eingesetzt:

Diesmal ist die Sequenz um einen Takt verlängert, der Schlagzeugeinsatz fünf Takte nach Ziffer 33 vs. vier Takte nach Ziffer 34 aber um einen Takt vorversetzt gegenüber der Parallelstelle; subtil setzt die Oboe den Tambour de Basque fort. *Vertikal* entsteht beidemal durch die parallele Aufwärtsführung kleiner Sexten zur Zelle in den Fagotten der Akkord

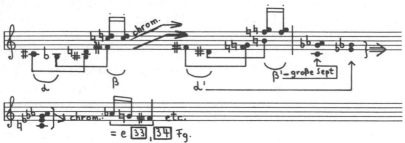

in Transpositionen mit Zusatztönen aus der Flötenstimme, die wegen ihrer Heterogenität den Akkord immer neu »*maskieren*«. Transitorisch setzen dann Trompeten ein; die Tonhöhenrelation zum Vorigen:

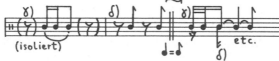

(Zum Glück weist dieser Augenblick nicht im geringsten den deutschen Gestus des Wild-Hineinfahrens auf, der in allzuviel neuer Musik unterm ideologischen Mantel der »Gebrochenheit« bis zur schalen Brüchigkeit, schieren Unerträglichkeit führte.) Die vorige Struktur wird zur Bildung des neuen Akkords (»es war so alt …«) geradezu chemisch umgesetzt; dabei greifen die Trompeten zugleich die rhythmische »Radikale« (s. o.) von e auf:

γ) rückt vom Auftakt auf die schwere Taktzeit, während δ), das »nachklappernde« Pizzikato, den Einheitenwechsel berücksichtigt, an der gleichen Stelle bleibt: Ähnliche Objekte sind im Tonhöhen-/Rhythmen-Bereich in neue Beziehungen getreten: Das Pizz. markiert jetzt das Ein- und Absetzen von Englischhorn und Oboen, die akkordisch den Trompeteneinsatz, der übrigens von einer horizontalisierenden Harfenstimme etwas

verschleiert wird, fortführen mit der um einen Wert verlängerten Zelle
γ), dessen Bedeutung auch die Intervallik beeinflußt:

Die so entstandenen neuen »Verbindungen« dekomponieren die alte Struktur und zerlegen sie in drei Ebenen, die für einige Takte fixiert bleiben:

1. die abgespaltene rhythmische Zelle in den Geigen, die das Element der Tonrepititionen entfernt beinhaltet
2. die durch Dauernverlängerungen gegenüber γ) sich verselbständigenden Akkorde, die dem Satz das innere Tempo nehmen (harm. Zelle)
3. die abgespaltene melodisch-rhythmische Zelle e im Fagott (!) zusammen mit den eigenwilligen pizz. der Celli

(1. und 3. stehen in rhythmischem Alternationszusammenhang),

... bis aus dieser – nochmals – *transitorisch verharrenden* Phase eine neue Struktur auflebt, indem sich die Objekte rekomponieren, syntagmatisch zusammenschießen: Die harmonische Zelle wird nun zur direkten Anreicherung einer dreiteiligen Melodie benutzt, die sich als Hauptstimme überhaupt nur durch die sie verstärkenden äußerst subtilen (1.!) Tonrepetitionen in der Trompete ausweist. Erster und zweiter Teil sind »niedergespannte« Derivate der markanten Trompeten- und Oboenfiguren, deren Klangfarbe sie überdies fortsetzen. Die Dreiteiligkeit wird durch einen vom g zum c und zum G wechselnden Hornton zusätzlich artikuliert. Ein repetiertes g (") gibt dem Ganzen eine Orientierungslinie: erster und dritter Teil der Melodie umspielen es deutlich, indem sie sich symmetrisch von oben und unten (vgl. doch Zelle Ziffer 33), zuerst im kleinen Sekund-Abstand, dann im großen Sekund-Abstand, chromatisch nähern, wodurch in 3. das g' nicht mehr vorkommt. Rhythmisch, dynamisch und artikulativ sind 1. und 3. gleich, während 2. abweicht, auch durch die asymmetrische Innenstruktur: Kompensativ zur Punktierung des ersten Viertels sind die übrigen Viertel in Achtelwerte unterteilt, die Bewegungsrichtung wechselt genau in der Mitte der Figur, so daß sie doch balanciert erscheint:

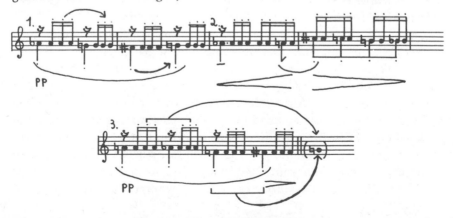

Diese *horizontale* Zelle wird nach ihrem Auftreten anscheinend sofort abgelegt; die *vertikale* Zelle und die Figuration geben eine autonome Grundlage für eine Struktur, deren Gewebe eine Fülle von athematischen Seitenstimmen produziert. Debussy verwendet zunächst diese Transpositionsfolge der harmonischen Zelle als Basis:

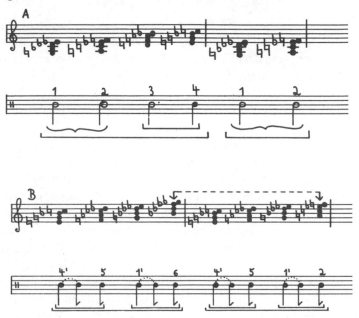

Diese Sukzession weist ein ähnliches Prinzip auf, wie es schon im Schema auf S. 78 erkennbar war: Ein einmal aufgestelltes Schema wird nur teilweise beibehalten, um den Ausgangspunkt für eine neue Entwicklung zu bilden: Der sf.-Höhepunkt von A ist der Ausgangspunkt für Abschnitt B. Die mit ⌊￣ ￣⌋ angedeutete Variation weist auf eine ausgesprochene Neigung Debussys zu dem, was ich indirekte Chromatik nennen würde: Zwei Entwicklungsstränge werden durch chromatische Veränderung eines exponierten Tones in dynamische Beziehung zueinander gebracht. – Etwa affiziert die Verwandlung b → heses → b vier Takte vor Ziffer 65 bis sechs Takte nach Ziffer 65 die ganze Harmonik und Melodik (»alterierte Pentatonik«). – Im Abschnitt A ist die Akkordfolge durch ostinates g" ('") (Violine I), G (Horn) sowie eine nur das Register wechselnden Folge C–G in den Celli noch an einen Orientierungsrahmen gebunden, der in B wegfällt. – Die Nebenstimmen – es gibt hier nur Neben-=Haupt-Stimmen – bilden sich lediglich durch verschiedene Formen der Horizontalisierung der in Violine II und Alti in Sechzehntelrepetitionen – dem figurativen stehenden Moment dieser Struktur – mit Oktavsprüngen artikulierten Akkordfolge. Diese Stimmen sind daher strukturell, aber nicht thematisch! Besonders die Fagotte un peu en dehors, oder die perfekt komplementären (nämlich das ganze Sechzehntel-Register ausfüllenden) Stimmen von Englischhorn, Oboe und Klarinette in $A_{1,2,1',2'}$, während in $A_{3,4}$ Oboe und

Klarinette zusammentreten und ihrerseits perfekt komplementär die Fagottstimme ergänzen:

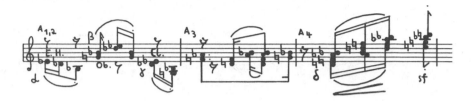

Diese sehr flexiblen Gebilde gehen nach B über, wo sie nur partiell komplementär sind und deutlich in drei divergente Klangfarbenschichten zerfallen, während Violinen II/Alti ihren Part halbtaktig an Klarinette/ Englischhorn weitergeben.

[α und β sind zu einer neuen Zelle verschmolzen, γ tritt zweimal im Takt auf, δ ist aus $A_{3,4}$ übernommen. In A waren alle Figuren außer δ abwärts, in B sind die meisten aufwärts gerichtet, entgegen den jeweiligen Oktavsprüngen der zweiten Geigen und Bratschen. Die Schroffheit des Oktavsprungs in ε wird durch das überleitende Moment der Oboenfiguren (Tonverdoppelungen) überbrückt.]

Die Entwicklung der Struktur A → B zu *vertikaler Mobilität* wird nun in C vollendet, indem die Substrukturen von der vor A exponierten horizontalen Figur samt ihrer Umkehrung mit spezifischer Vertikalorganisation gelenkt werden. Materialmäßig geschieht das folgendermaßen – es ist nicht ohne stilistische Bedeutung, daß Debussy sich der platt polytonalen Simultaneität von Melodie und Umkehrung verweigert, einer Satzweise, deren »Dissonanzen« nur allzuoft nichts als morphologisch bedeutungslose »Lümmeleien« darstellten (darstellen?), deren alternde Komponisten sich dann, aus den Flegeljahren hinaus, auch raschest zu Reaktionären verwandeln konnten (müssen?) –:

Das Problem der harmonischen Kontrolle löst Debussy auf verblüffende
Weise: Er vereinfacht die harmonische Zelle um einen Ton von

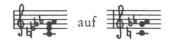

und nimmt diesen Akkord für *beide* Stimmen zum gemeinsamen Ausgangspunkt. Damit hat er einen dem damaligen Stand der horizontal/
vertikal-Relation disponiblen Ausschnitt aus einem Ganztonakkord ge-
wählt. Denn, eine Feststellung in Schoenbergs Harmonielehre verallge-
meinernd, es gilt: Wenn Ganztonakkorde oder deren Teilmengen chromatisch um eine beliebige, jedoch gleiche oder um ein Vielfaches von 2 verschiedene Halbtonanzahl gegeneinander bewegt werden, so werden dabei
immer nur Ganztonskalen(-ausschnitte) als Harmonien entstehen, *sofern*
alle(n) Ausgangsakkorde der gleichen Skala von Ganztönen entstammen.
Letzteres ist durch den identischen Ausgangsakkord, das Vorige durch die
konsequente Intervallumkehrung erfüllt. *Aber Debussy* gibt sich mit der
bloßen Benutzung einer solchen eher mechanischen Gegebenheit – wes-
wegen sie auch so formuliert wurde – niemals zufrieden: Das asymmetrische Moment von 2. komponiert er hier sehr schön in die Harmonik
hinein, indem er genau auf den Achtelnoten des zweiten Teiles von 2. eine
im tonalen Sinn »Umkehrung« der harmonischen Zelle vollständig, also
viertönig, mit der Melodie ablaufen läßt, so daß infolge des Akkord-
aufbaus jeweils ein Ton, und zwar der *Melodieton,* zur gerade präsenten
Ganztonskala idiosynkratisch steht. Darum geschieht die Beantwortung
des großen-Terz-Sprungs, des einzigen auf Ganztöne rückführbaren Intervalls in der horizontalen Figur, durch eine chromatische Verschiebung und
die Neudisposition des »Melodie«-Akkords. Während die regulär fortgesetzte Version eine ziemliche Gleichförmigkeit zur Folge hätte, biegt
sich in Debussys Lösung die harmonische Sprache flexibel mit dem horizontalen Verlauf.
Man kann den Vorgang der Irregularität auch so ausdrücken, daß eine
Zelle auf ihre eigene Ableitung transponiert wird, in Funktion zweier
chromatischer Linien sich weiterbewegt. Damit wäre die erstaunliche Nähe
– übrigens dieser ganzen Struktur – zu Boulez' Frequenzmultiplikation
angedeutet. Im Übergang zu 3. konvergieren die Ganztonleitern von
Melodieton und Umkehrungsharmonie wieder, die Intervalle sind aber

durch verschiedene Sprünge so verändert, daß gleiche Töne wie in 1., 2. mit neuen Akkorden versehen sind. Ferner bleibt die fallende kleine Terz in 3. von der Umkehrung unberührt: sie geht in beiden Stimmen parallel. Stimmen – ich belasse es bei der Darstellung der Materialvorgänge, deren instrumentale Realisierung aus dem oben Geschilderten erkennbar ist. Resümiert seien die Phasen der Entwicklung, sie alle werden durch das Element der *Tonrepetition* in Sechzehntelwerten miteinander verbunden:

– zwei chromatische Zellen in Gegenbewegung ⎫ Vorbereitung einer
[– Unterbrechung –] ⎭ harmonischen Zelle

– fortgesetzte Variation des Vorigen
– erstes Auftreten der vertikalen Zelle, ⎫ Etablierung einer
Dekomposition – Fixierung ⎬ melodischen Figur
– harmonische Zelle als Anreicherung der Melodie ⎭

A – Verselbständigung der harmonischen Zelle, Substrukturen
B – zunehmende harmonische Beweglichkeit
C – Wiederkehr der Melodie, die jetzt die Harmonik »steuert« und sie in Funktion ihrer Polyphonie verändert – letzter Takt: chromatische Durchkreuzung der Struktur durch Triolen (!)

Folge der komplexen Harmonik in C ist gleichsam ein Identitätsverlust der vertikalen Struktur, und jene zeichnet somit das Ende der Struktur ihr selbst ein, wie es durch die Abwandlung des kleinsten Werts, des Sechzehntels, im letzten Takt rhythmisch bestärkt wird. – Nicht umsonst liegt gerade hier der Wendepunkt zu einem völlig neuen Formabschnitt, dem Mouvement de Valse.

Ähnlich diesem tendieren die meisten Übergänge in Jeux zur Diskontinuität, aber aus intrastrukturellen Gründen und nicht wegen der Strukturabwechslungen, auf die ich noch komme.

Jetzt soll ein Abschnitt analysiert werden, in dem die Diskontinuität, entgegen dem Vorigen, im *Kleinen* angelegt ist und einer interessanten Entwicklung unterliegt:

Sechs Takte vor Ziffer 49, zu Ende der großen Klimax »En animant progressivement«, setzen dialogisch erste und zweite Geigen fort; sie lösen sich halbtaktweise ab, während der Rhythmus zunächst je dreimal ♪♩ und einmal ♫♫ enthält und dadurch quer zur Instrumentierung die Tonhöhen aufteilt in [Notenbeispiel] und [Notenbeispiel], bis dann die Abfolge »a, b, a, b, b, a' (nämlich umrhythmisiert auf b.), b, a'« den Verlauf auf a' konzentriert, das noch um einen Ton verarmt wird, bis eine kleine Terz e-g zu Ende die Überleitung zur neuen Struktur liefert: Mehrere »Substrukturen« treten in dialogartige, funktionelle Beziehung und entwickeln sich; eine Analyse muß in solchen Fällen den Aspekt der Anordnung im Zeitverlauf besonders berücksichtigen. Im allgemeinen wird er, je durchhörbarer die Dimension, nicht »anarchisch« sich den bloßen, je individuellen Entwicklungsverläufen anpassen, sondern die Dialektik zwischen minimaler »Einordnung« = relativer »Unordnung« und maximaler »Einordnung«, relativer Ordnung respektieren. Das soll zunächst an einer anderen Stelle erläutert werden: Ziffer 6. Folgende Hauptfiguren treten auf (buchstäblich!):

in folgender Anordnung (Taktabstände sind mitgezählt):

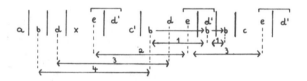

(x: Zitat aus voriger Scherzandostruktur!)

Die Abstände zwischen den Wiederholungen sind für alle Zellen zunächst verschieden, sodaß sich keine regelmäßige Makrostruktur ausbilden kann (→ »Unordnung«). Durch die jeweils klangfarbenvariierte oktavierte Wiederholung von b wird ein erstes Ordnungselement eingeführt. Mit genau den gleichen Zellen und rhythmischer Eingliederung von c' ins Taktschema wird dann folgende geordnete Struktur gebildet:

$$\overline{e \quad d'} \quad \overline{e \quad d'}$$
$$c \mid b \rfloor \mid c \mid b \rfloor \mid c \mid b \rfloor \mid c \mid c' \rfloor \mid c \mid c' \rfloor \| c \ c_t \ c_t \, ,$$

In gewissem Sinn bildet jene Unordnung etwas Ähnliches wie die eben festgestellte Dekomposition: Gleich Personen auf der Bühne, werden die Elemente für einen Zusammenhang erst isoliert, ihrer selbst noch unbewußt, eingeführt, um dann in Beziehung zu treten.

Nun zu Ziffer 49: Der vorläufigen Überschaubarkeit halber auch hier zunächst eine Liste der ins Spiel tretenden Momente in einfachster Form:

Ebenso gebe ich im folgenden Schema, da ich den Reichtum der Partitur hier nicht auf ein Exzerpt zusammenstreichen will, nur die gröbsten Koordinaten der Entwicklung:

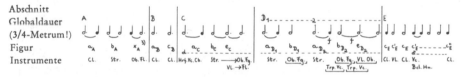

Über die Funktion der Figuren kann man demnach feststellen:

a verknüpft *anaphorisch* A, B, C, D. Charakteristisch ist die vertikale große Terz, ab C zum »Quartsextakkord« erweitert, und die Verschränkung kleine Terz/kleine Sekunde in der Horizontalen. **a** leitet sich aus der Restform der Geigenfigur nach der Klimax durch die gemeinsame Terz $e'-g'$ her.

b steht nur, aber nicht immer nach **a**. Während **a** die ganze Struktur hindurch auf dis' (") (''') transponiert bleibt, macht **b** eine Entwicklung durch:

Also quasi eine Kadenz falschherum (Oberstimme) in dis-moll, der nominellen Tonart dieser Abschnitte.

---

[3] Platzmangel hindert mich hier an näherer Besprechung.

c ist ein Derivat des in B erweiterten a, was schon die identische Vertikale andeutet:

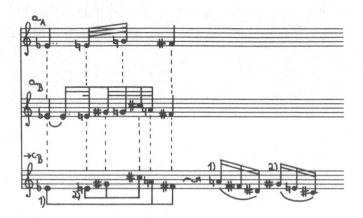

Die Abfolge der Töne in a_A ist in a_B beibehalten, doch um die Töne in Permutation ergänzt, die für c zusätzlich notwendig sind. Die Gesamtfigur a_B weist in den vier ersten Tönen eine schöne Variation von a_A durch Vergrößerung des mittleren Intervalls auf, die kleine Terz zu Ende deutet wieder direkt auf die zu Anfang von c. Interessant die Irregularität in der Wahl des gis' statt des zu erwartenden g für den vierten Ton von c: Diese Abweichung wird in E aufgehoben, wo konsequent große Terzen die Vertikale und kleine Terzen die Horizontale bilden (in c'_E und c''_E). c verknüpft demnach B mit E.

e steht nur, aber nicht immer nach b. Es setzt die Violinfigur nach der Klimax fort, wird aber, wie $b_A \rightarrow b_C$, aus einer ganztönigen in eine diatonische Form transformiert. Es steht *am Ende* zweier Abschnitte.

d gibt für die Dauer von C und D nicht nur einen tonalen, sondern auch zeiträumlichen Hintergrund, indem es direkt den Takt artikuliert und so den Strukturwechseln, mit Boulez' Wort, perspektivisch unterlegt ist.

In A entfalten sich die Strukturen im Zeitmaß, aber *4:3* gegen das Taktschema, in B sind Strukturdauern und Taktlängen zur Deckung gebracht, in C rückt die Taktlänge in perspektivische Entfernung, so daß starke rhythmische Variationen, besonders in D mit der »Akzent«-Stimme der Hörner, Raum ausfüllen können in ungewohnt freier Weise. D faßt in sich A ohne x und C zusammen, E ist eine freie Erweiterung von B. So zeigt sich die Mikroform als ahierarchisch, bevorzugt werden Anknüpfungsmuster. – Am Ende von C wechseln b und e kreuzweise die Instrumentenfamilie und damit von C nach D auch a. In D entwickelt jetzt b die Nebenstruktur f in Trompeten und Celli, also einer bereits aus zwei

Familien gemischten Farbe. In e_{D_2} nun werden beide Instrumentenfamilien (Streicher – Holzbläser) amalgamiert mit den perspektivischen Tönen in den Celli, so daß die Verschiedenheit der Instrumentalfamilien als klangfarbliches Korrelat der figurativen Vielschichtigkeit zusammenschmilzt. Gleichzeitig wird die Perspektive sozusagen eingezogen auch auf rhythmischer Ebene (Harfe und Tambour de Basque geben ihre Akzente nunmehr auf jeder Viertel-Synkope) wie durch eine Konvexlinse. Lobte Adorno an Webern die »Knoten ohne Dramaturgie«, so muß für Debussy das Auflebenlassen und Wiederersterben von Strukturen »ohne Dramaturgie« geltend gemacht werden. – E knüpft an B, die Klarinetten sind durch pizzicati unterstützt, sie stehen im Dialog mit den ersten Violinen, dann den Celli (sord., sur la touche). Die Cellofigur führt, wie erwähnt, c in völlige Regelmäßigkeit und in rhythmische Delokalisierung analog zu A, denn, indem die Baßklarinette mit Vorschlag als Relikt von d (s. zwei Takte vor Ziffer 50) und Hörner als Rudiment der Nebenstimme zu a in D ebenfalls mit Vorschlägen hinzutreten, werden diese Strukturdestillate mit gleichem »Äußeren« zu der Cellofigur in folgende rhythmische Beziehung gestellt:

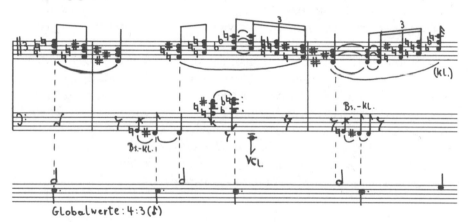

Bekanntlich führen Proportionen immer zu »nicht umkehrbaren«, innensymmetrischen Rhythmen. Debussy hat dieser Tatsache hier die Folge Klarinette–Horn–Klarinette abgelauscht und obendrein die Unterteilung der Globalwerte in den Celli wie den Tonhöhenverlauf quasisymmetrisch angelegt:

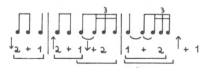

Die anschließende Klarinettenfigur hat bis Ende des Taktes noch genau ein Viertel Zeit, also den kürzesten aller Globalwerte. Darum auch »sans presser« – es ist ja schon komponiert!

An dieser Struktur läßt sich sehr gut das Verhältnis von Anordnungs-
rhythmen und strukturinternen Rhythmen studieren, die bisweilen einander durchwirken können. Wir kehren nun zu der ganz zu Beginn von
Jeux kristallisierten Figur e (Scherzando) zurück, wie es auch Debussy tut.
Die vertikale große Terz aus der eben diskutierten Figur wandert, wie
erwähnt, als horizontales »Multiplikations«-Intervall in die Figur ein,
vertikal werden nun die eben horizontal verwandten kleinen Terzen
geschichtet; beide so gewonnenen Komplexe verlaufen dann in Gegenbewegung; zwei Takte nach Ziffer 53 isoliert sich e von allen Sekundär-
organisationen in neuem Rhythmus und wird so registerverschoben, bis
es (en retenant ⟷ Tempo rub.) ab Ziffer 55 eine neue Struktur, diesmal
steigernd, bildet. So komplex arbeitet Debussy mit Intervallfunktionen! –
Hier, bei Ziffer 55 läßt sich auch sehr gut beobachten, wie *eine* Figur in
zwei Zeitformen (serrez .. // Tempo rubato) unterschiedliche Bedeutung
annimmt. Es existieren in Jeux eine ganze Reihe solcher Tempo-Umdeu-
tungen (etwa vier Takte vor Ziffer 28 und die Parallelstelle) als Über-
leitungen. Die Stauung der musikalischen Zeit gewinnt dabei funktionelle
Autonomie; man ist geneigt, von einer *Tempogestik* in der Dialektik von
Anspannung und Entspannung zu sprechen. Sie vermag, und darin liegt
eine der folgenreichsten Innovationen von Jeux, ganze Formteile zu durch-
dringen und *athematische Strukturen zu verknüpfen*. Es wäre ja oberflächlich und allzu simpel, wollte man der Strukturabwechslungen in den
Jeux durch ein seitenlanges Permutationsschema inne werden, das dem
zeitlichen Verhältnis, dem kantischen *Nach*-einander nicht Rechnung trüge.
Etwa bringt die Strukturentwicklung Ziffer 41 bis Ziffer 44 mindestens
drei thematisch nur vag aufeinander beziehbare Komplexe, deren drittes
völligen Momentan-Charakter hat, die aber durch die Tempogestik durchaus sinnvoll verknüpft sind. Durch übereinandergeschobene Sechzehntel-
Passagen verformt sich der $^3/_8$-Takt zur $^2/_8$-Periode:

die dann folgende Vermengung von Globalwert und kleinstem Wert in
den punktierten Achteln

erzeugt Zweideutigkeit:

Dehnung des ♪→♪ (vgl. Melodieführung)

Diminution des ⎕→♪

ohne Tempoveränderung; dann wird »un peu retenu« die Melodik fixiert,
um einer expressiven chromatischen Figur zu weichen, deren letzter Takt
eine an Thema Ziffer 10 ff. gemahnende Variation (♩ ♫→♩ ♩) unter-
läuft, diese wird in eine gleichmäßige Achtelbewegung–cédez–zurück-

genommen; den Rhythmus der folgenden Struktur fasse ich als »ent-
spannte« Erweiterung jener anhebenden Valse-Figur auf:

wie er wohl choreographisch zu realisieren wäre. Das mag genügen, um
die eklatante Bedeutung der poème-dansé-Zeitkonzeption, einer gestisch-
verknüpfenden nämlich, für den formalen Dynamismus von Jeux zu erklären, der ein Korrelat der mikrostrukturellen Mobilität ist, die nachzu-
weisen versucht wurde.

Hans Rudolf Zeller

Von den Sirenen
zu »...La sérénade interrompue«

I

In seinem ersten Beitrag für La Revue blanche ließ der Kritiker Claude
Debussy, schon bedenklich nah am sarkastisch-subversiven Tonfall seines
späteren Gesprächspartners Monsieur Croche, keinen Zweifel daran, daß
er die in seiner Rubrik vorzustellenden Werke nicht »auseinanderzuneh-
men« gedenke »wie eine kuriose Art von Taschenuhren«[1]. Allzusehr
erinnerte ihn diese Praxis an den Zerstörungstrieb der Kinder, die, als
Ärzte verkleidet, ihren Puppen den Bauch aufschlitzen, um so dem »Geheimnis«, das da hinter dem Stoff verborgen scheint, zu Leibe zu rücken,
auch weil es so streng verboten ist. Als erwachsene Spezialisten wollen sie
dann ihre »ästhetische Nase überall hineinstecken, wo es nur geht«, erklären nun das Geheimnis eines Werkes, »zerlegen es und töten es kalten
Herzens«. Der Kritiker Debussy, der Komponist als Hörer, mußte sich
den Werken auf andere Weise zu nähern versuchen, nämlich »die vielfäl-
tigen Antriebe aufdecken, aus denen sie entstanden sind, und das, was sie
an innerem Leben besitzen«; »wahrhaft und ehrlich empfundene Ein-
drücke« sollten seine Empfindungen »vor jeder schmarotzerhaften
Ästhetik bewahren«.

Vielleicht ist gerade deshalb die Kritik in Debussys Texten über
Musik viel umfassender geraten, als es ihr Autor vorhersehen konnte.
Sie begnügen sich sowenig mit einer lockeren Aneinanderreihung von Im-
pressionen wie Debussys Musik, die sich mit anderen Mitteln dem klas-

---

[1] Vgl. Claude Debussy, Monsieur Croche, Sämtliche Schriften und Interviews, hrsg. von F. Lesure.
Aus dem Französischen übertragen von J. Häusler, Stuttgart 1974, S. 23.

sischen Formenkanon und dessen Kriterien widersetzte. Auch diese rein musikalische Kritik an der bislang verbindlichen Formensprache war keine Absage an Form überhaupt und dementsprechend auch keine an die Analyse, an Aufklärung über Musik – an Musik als Aufklärung. Keineswegs sollten Konsumenten und Medienbenutzer, heute wie damals, auf Debussy sich berufen können, wenn sie ihre »ästhetische Nase« kaum jemals tiefer in ein Werk stecken (oder zu stecken wagen?) und selbst jene kindliche Neugier vermissen lassen, die der stumpfen Passivität allemal vorzuziehen wäre.

Das verweist auf das unglückliche Verhältnis von Analyse, theoretischer, »reflektierender« Beschäftigung mit Musik im weitesten Sinne und primärer Hörerfahrung, auf die Spaltung zwischen »Intellekt« und »Gefühl«, Logik und Psychologie, letztlich auf die zwischen Kunst und Leben. Das dem Leben bereits entzogene Werk wird ihm derart in wesentlichen Aspekten nochmals vorenthalten. In der Analyse, die sich am geschriebenen Text orientieren muß, ist im Interesse einer vermeintlich abstrakten Objektivität des Gebildes von der konkreten, notwendig subjektiven, von den mannigfaltigsten Bedingungen abhängigen und also unablässig sich verändernden Hörerfahrung, welche die Arbeit am Text erst zu motivieren vermöchte, kaum mehr etwas zu vernehmen, während die rein emotionale Beziehung zum Klang ganz in der illusionären Unmittelbarkeit aufzugehen wünscht und jede Erläuterung als intellektualistische Problematisierung eines einheitlichen Phänomens empfindet, mithin als problematisch, destruktiv, zersetzend, das naive, voraussetzungslos glückliche »Klangerleben« in Frage stellend. In der Tat laufen auch die meisten, methodisch so sauberen, bewundernswert korrekten Analysen darauf hinaus, das Werk in irgendwelche, zudem untereinander beträchtlich differierende Formschemata zu verwandeln, es auf generierende Formeln und deren Verknüpfungen zu reduzieren, deren Verständnis schon einen ganz bestimmten hermeneutischen Horizont voraussetzt. Im allgemeinen taugt das akademisch vorgeprägte Instrumentarium der Analyse jedoch eher dazu, die Abweichungen der Werke vom Gang der (siehe Debussy) Normaluhren zu demonstrieren und anhand ausgewählter Beispiele aufzuweisen, warum diese fast immer hinter ihrer Zeit herhinken oder längst stehengeblieben sind, vermag aber die unfehlbare Präzision jener Konfigurationen, die allein anzeigen, was die Stunde geschlagen hat, nicht zu fassen. Das wirklich Bewegende von Werken, die so viele bewegen, und wie sie es in Gang setzen, bleibt auch nach minuziösesten Detailuntersuchungen ungeklärt.

Im Bannkreis von Debussys Musik angewandt, wirken alle tradierten, teilweise noch in die mit ihm gleichzeitige Neue Musik hinübergeretteten Begriffe eigentümlich unscharf, provisorisch, in jedem Fall anachronistischer als im Umkreis der offiziellen Schulen der Moderne. Dies um so mehr, als der Hörer eben nicht von einem endlosen Klangstrom mitgerissen wird, der ihm jede Aussicht auf Orientierung vorweg ver-

wehrt und nur den einen Gedanken zuläßt, mitzuschwimmen, ohne unter-
zugehen. Die unerhörte Körperlichkeit, das »Vegetative« der Debussyschen Klangorganisation zielt, gerade weil sie aus den Körperfunktionen
der Musiker selbst entwickelt scheint – man denke an das respiratorische
Moment, das Atmen der Bläser, aber ebenso an das Atmen des Klaviers –,
nicht auf eine Musik, die nur im bewußtlosen, quasi haptischen Mit-
schwingen »nachzuvollziehen« wäre. Ihr Irrationales meint Befreiung
von den Schemen einer ungeschichtlichen Rationalität. Wenn an ihr die
gebräuchlichen Begriffe scheitern, vermittelt sie vielmehr ihre eigenen
Konzepte, zunächst sozusagen voraussetzungslos, kraft ihrer räumlich-
klanglichen Präsenz. Ihre Unmittelbarkeit, »Sinnlichkeit« ist indessen
schon das Resultat eines überaus verwickelten Prozesses, in den der sich
einhörende Hörer verwickelt wird, und dem er sich nur mit größter
Mühe, freiwillig auf Möglichkeiten des Entdeckens verzichtend, entziehen
könnte. Doch nicht die Komplexität der strukturellen Prozesse, sondern
der typisch Debussysche Klanggestus wurden rezipiert und in gewisser
Weise sogar produktiv verstanden, das heißt ohne lang zu fragen in der
Unterhaltungs- und Filmmusik ausgewertet, wie nur noch der Wagners.
Erst im Zusammenhang mit der Klangkomposition der fünfziger und
sechziger Jahre, als Form wieder eine »Herzenssache« (Cage) war und
die Komponisten sich in ihren Analysen auf ihre unmittelbare Hörerfahrung beriefen, entwarfen die Essays und Analysen von Boulez, Schnebel,
Eimert, Stockhausen ein neues Debussy-Bild, indem sie beschrieben, was
eigentlich immer schon hätte gehört werden können.

Wie unscheinbar, aufs Ganze seines Werkes gesehen beinahe beiläufig
Debussy die Veränderung der Musik im Kern antizipierte, ist seitdem
noch deutlicher geworden, zeigt sich nicht erst an den lange Zeit ver-
nachlässigten späten Stücken (Etudes, Jeux, Khamma), sondern bereits
an einem gleichfalls oft übergangenen Werk, den noch vor der Jahrhun-
dertwende, in den Jahren 1897–99 während der Arbeit an *Pelléas et
Mélisande* und nach dem *Prélude à l'Après-midi d'un Faune* komponierten
Nocturnes. Da die Komposition zu Stéphane Mallarmés Ekloge ursprünglich dreiteilig angelegt war, übernimmt das singuläre *Prélude* im Verhältnis zu den *Nocturnes* zugleich den Part eines Vorspiels zu Debussys erster
mehrteiliger Orchesterkomposition, die jedoch – und das macht sie nun
selbst zu einem singulären Fall – für den letzten Teil die Einbeziehung eines
Frauenchors vorsieht, die Besetzung des Orchesters also erweitert, sich also
nicht mehr allein auf dessen instrumentale Zusammensetzung beschränkt.
Erstrebt ist zwar eine Verbindung von instrumentalen und vokalen
Klangerzeugern, doch anders ausgedrückt zeigt sich vielleicht mehr: nicht
länger anerkannt wird ihre historisch bedingte und institutionell abge-
sicherte Trennung, komponiert ist stellenweise jene Verschmelzung und
Austauschbarkeit von Instrumentalem und Vokalem, die womöglich erst
wieder in der elektronischen Musik aktuell werden sollte. Die Institutionen
reagierten entsprechend, denn zunächst wurden – am 9. Dezember 1900 –

nur die beiden instrumentalen Teile des Triptychons: *Nuages* und *Fêtes* uraufgeführt (übrigens noch heute die einzig mögliche Antwort des Musikbetriebs auf eine Komposition, die eine Gruppe von Ausführenden nur teilweise »einsetzt«, »beschäftigt«, das heißt arbeiten läßt).

Die Anfangskonstellationen der drei Teile von *Nocturnes* gehören zu den suggestivsten Anfängen der Instrumentalmusik, die schon nach dem ersten Hören permanent weiterwirken; zu den Anfängen, die man nicht mehr los wird. Vor allem der Anfang von *Nuages:*

NOCTURNES

Edition définitive réorchestrée par l'Auteur

N° I._ Nuages

CLAUDE DEBUSSY

2

Klarinetten und Fagotte spielen »pp très expressif« eine absteigende Folge von Quinten und Terzen, die im zweiten Takt wiederholt wird. Auch die Fortsetzung des Vorgangs im dritten Takt, wobei Tritonus und Quarte hinzutreten, wird im vierten wiederholt. Über dem ausgehaltenen Klang dieser ersten Instrumentengruppe setzt »expressif p« (mit leichtem crescendo – diminuendo) eine schnell ansteigende und dann langsam, unregelmäßig fallende Linie des Englischhorns ein. Zwei nach Farbe, Bewegungsrichtungen und -ablauf, Dynamik, Klangausdruck (statisch – belebt) verschiedene Vorgänge, deren wohl zusätzliche Charakterisierung durch: in sich wiederholt – einmalig die gesamte Konstruktion und damit die Stimmung der *Nuages* erzeugen. In ihnen vollzieht sich auch das Mysterium der Wiederholung, der Verschiedenheit des Gleichen und der Gleichheit des Verschiedenen. Der in sich schon aus Wiederholungen bestehende erste Vorgang, wird dort durch Akkordbildung verstärkt und verändert, bleibt jedoch stets schon durch das Moment der unbeirrbar gleichmäßigen Bewegung identifizierbar. Die Linie des Englischhorns wird hingegen keinem anderen Instrument bzw. keiner Instrumentengruppe anvertraut. Eins mit ihrer Klangfarbe erscheint sie, rhythmisch subtil variiert, als der unveränderliche, in allen Wiederholungen auf sich beharrende Klang, als das »Gleiche«, aber jedesmal in veränderter Umgebung.

»... einmalige Erscheinung einer Ferne, so nah sie sein mag«: die Benjaminsche Definition der Aura des Kunstwerks wird in der Anfangskonstellation der *Nuages* musikalisch erfahrbar. Nur an einer Stelle erhebt sich die Dynamik aus ihrer generellen Orientierung zwischen pp und p. Um so greller setzen sich danach die *Fêtes* in Szene, beginnen ganz in der Nähe des Hörers, hautnah, obwohl sie auch die Räume außerhalb des Konzertsaales in ihren weiteren Verlauf einzubeziehen scheinen:

Der Klang, von den scharf akzentuierten Quinten der Streicher geprägt, zittert sozusagen vor Erregung, wird aber nach einer kurzen Stei-
gerung zum ff von einem pp-Abschnitt (Celli, Kontrabässe, danach Flöten, Oboen und andere Gruppen) abgelöst. Dieses plötzliche Entweichen
einer Klangkonstellation »nach hinten« ist charakteristisch: das Wechsel-
spiel von Nähe und Ferne, überhaupt der rasche Wechsel der Situationen,
der Bewegungsformen. Die rhythmischen Figuren (bei unkonventionellen
Taktkombinationen: 15/8 der Bläser gegen 5/4 der Streicher) schaffen
zusammen mit wechselnden Tempi und teilweise brüsken Unterschieden
in der Dynamik annähernd filmische Wirkungen[2], Nah- und Fernein-
stellungen, akustische Schwenks auf die verschiedenen Schauplätze.
Hauptereignis ist ein Umzug, der die Marschrhythmen des dritten Teils
von *Ibéria* vorwegnimmt und aus der Ferne des ppp langsam näherrückt,
»angeführt« von Harfen und Pauken, denen sich bald gedämpfte Trompeten und die tiefen Streicher anschließen, endlich Gruppe für Gruppe
das ganze Orchester, bis zur maximalen Klangentfaltung, worauf wieder
in das hektische Treiben des Anfangs zurückgeblendet wird. Nach der
gleichmäßigen Bewegung von *Nuages* markieren die schnellen Bewegungs-
und Richtungsänderungen in *Fêtes* ein Fest der Diskontinuität, der einander unterbrechenden Ereignisse ihres Verlaufs, der sich gegen Schluß,
kurz vor dem Verschwinden der musikalischen Gestalten, in der Oboe »Un
peu retenu« auch der melancholischen Frage nach dem Wozu stellt.

Nach *Nuages* und *Fêtes* könnte das Werk in *Sirènes* noch einmal neu
beginnen, oder vielmehr ein anderes Werk. Denn der in *Sirènes* ins Orchester integrierte Frauenchor aus 8 Sopranen und 8 Mezzosopranen hat
keinen Text mehr zu singen. Doch gerade diese Textlosigkeit, dank der die
menschlichen Stimmen in die vorwiegend instrumentale Klangorganisation einbezogen werden können, ohne zugleich die »musikfremden« Bedeutungen der Sprache zu transportieren, verleiht den *Nocturnes* mög-
licherweise ihre erstaunliche Geschlossenheit, so daß man sich kaum mehr
vorzustellen vermag, daß sie auch anders, in gekürzter Fassung aufgeführt werden konnten. Andererseits hat die Textlosigkeit dennoch etwas
Befremdliches, das den abschließenden Teil vor der allzu bruchlosen Inte-
gration in den übergreifenden Zusammenhang bewahrt: die reine Vokalität der Frauenstimmen klingt wegen der sonst vorherrschenden Bindung
an einen Text durchaus nicht selbstverständlich, eher artifiziell, wie das
Eindringen einer außermusikalischen Sprache. Die Macht des Anfangs,
der man in *Sirènes* begegnet, als Sprengung gewohnter Klangkategorien,
Verfremdung großer Modelle »für Chor und Orchester«, ist die der Über-
raschung, ein Moment des seinen-Ohren-nicht-trauens, das auch nach viel-
maligem Hören der *Sirènes* nichts von der Faszination des zum erstenmal
preisgibt. Es sind auch musikalische »Schrecksekunden«, akustische Täu-

---

[2] Jahre später — 1913 — wird Debussy auf das neue Medium selbst zu sprechen kommen (vgl.
a.a.O. S. 216/17): »Führen wir absolute Musik und Film zusammen ! ... Man könnte sogar
Augenblicke im Film darstellen, die der Autor während der Komposition seines Werkes durch-
lebt hat . . .«.

schungen, die Debussy gleich zu Anfang in Gestalt von Austauschvorgängen zwischen Instrumental- und Vokalklängen komponiert hat:

Der erste Einsatz der Frauenstimmen in Takt 2 wird durch die von
Streichern und Harfen grundierten Hörner und einer schnellen Klarinettenfigur vorbereitet. Im folgenden Takt werden die von den Instrumenten übernommenen Töne der Vokalkonstellation zwar viermal wie-

derholt, aber danach wiederholt sich zunächst der gesamte Vorgang der ersten vier Takte in modifizierter Instrumentation, und in den sich anschließenden achtzehn Takten (bis vier Takte vor Ziffer 2) dominieren instrumentale Prozesse, die Stimmen beschränken sich scheinbar auf vereinzelte Einwürfe. Erst nach dieser »Jubilationsphase«, die durchaus noch einem textgebundenen Gesang vorangehen könnte und sich jetzt, nach dem point of no return als instrumental vermittelte Einhörphase erweist, konzentriert sich die Hörerwartung ganz auf die Beziehungen zwischen den instrumentalen und rein vokalen Vorgängen.

Gemeinsame Wurzel all dieser Vorgänge ist der zu Anfang von den Hörnern ausgeführte, fallende und steigende Ganztonschritt (dis – cis, gis – ais über Fis). Das ganze Stück wird vom Auf und Ab eines Mikrogeflechts solcher auch als Vorhaltbildungen und Vorschläge (vor allem vom Chor) zu interpretierenden Ganztonschritte bewegt. Das antiphonische Verhältnis zwischen Chor und Orchester – beide zehren von den gleichen Materialien – klärt sich erst, nachdem das Englischhorn »expressif un peu en dehors« die Linie I (v) exponiert:

die nach drei Takten wiederholt wird: danach trennen sich die Wege der Instrumente und der Stimmen. Mitten in ein Feld aus steigenden Ganztonschritten bilden die Soprane eine Linie V (i) aus fallenden Ganztonschritten in charakteristischer Rhythmisierung (Achtel – Triole – Achtel – Triole) und durchmessen vom tiefen Ton aus den Ambitus einer Quarte nach oben und unten:

Während die Ganztonbewegung durch diese Operation zur melodischen Linie ergänzt wird, wird die Englischhornlinie I (v) fragmentiert, das heißt förmlich halbiert:

und die derart isolierte Anfangsfigur I (v)' (gleichfalls den Bereich eines Ganztonschritts beschreibend) zunächst von den Streichern, dann auch von den Holzbläsern artikuliert. Diese Phase der Magie des instrumentalen und vokalen Insistierens auf getrennten Linien mündet in ein Feld aus fallenden und steigenden Zweitonfiguren in Instrumenten und Stimmen. Durch den »Wiederholungszwang« der Stimmen angeregt, bahnt sich eine erneute Umschichtung an, das gleichberechtigte Nebeneinander von Instrumentalem und Vokalem geht in einen Austauschprozeß über: in der Phase »Un peu plus lent« intonieren die Instrumente (Hörner, Klarinetten, Bratschen nacheinander) eine fragmentierte Fassung von V (i) = V (i)':

wogegen die Stimmen zunächst zögernd, wie in Trance, eine augmentierte Version von I (v)' (nun im Bereich einer großen Terz) erproben, I (v)'':

Als wollten sie sich von der vokalen Verhexung befreien, drängen die Instrumente – Ziffer 6: En animant surtout dans l'expression – sich vor und voran, doch der langgezogene, nicht mehr bewegte, sondern eher stehende Gesang hebt alternierend wieder an, setzt sich durch und domestiziert den eben noch »avec force« auftrumpfenden Instrumentalkörper. Wohl versucht dieser im folgenden wieder auf sich aufmerksam zu machen, doch bleibt ihm nun kein anderes Argument mehr, als die bisher nur vom vokalen Part vertretene melodische Linie V (i) von Englischhorn und Fagotten wörtlich zitieren zu lassen, die Stimmen wieder auf sie hinzulenken, worauf diese auch eingehen. Nach dieser zweiten Phase insistierenden Wiederholens, die wiederum mit dem instrumental (nun von den Hörnern) exekutierten V (i) schließt (vier Takte vor Ziffer 11), und nach zweimaliger Wiederkehr von I (v)'' in den Stimmen sowie variierten Fassungen von I (v) in den Instrumenten, kreisen Stimmen und Instrumente alternierend um V (i)', enden die Stimmen mit der Ganztonbewegung des instrumentalen Anfangs.

Die Stimmen der *Sirènes* bedürfen keiner Worte. Aber anders als in Debussys *Printemps*, einem noch während seines Rom-Aufenthaltes, 1887, begonnenen und ursprünglich für Orchester und Frauenchor konzipierten Stück, in dem die Stimmen »mit geschlossenem Mund« singen, also summen sollten, ist in den *Sirènes* doch wieder ein Text anwesend, allerdings kein literarischer, sondern jener der Mythologie, mit dem Meer als Ort der Handlung. Der Hörer ist ein moderner Odysseus, ohne indes auf dem Weg nach Ithaka, zu Penelope zu sein, daher stets bereit, entfesselt zu werden, dem Sirenengesang zu erliegen, nicht minder als Leser der Partitur, der Takt für Takt verfolgen kann, wie durch insistierende Wiederholung, Fragmentierung, unendliche, subtilste Variation ein Beziehungs-geflecht geknüpft wird, das jede Entwicklung ausschließt und in jeder Phase um den Anfang kreist.

Auf andere Weise ist die Musik nach Debussy den Versuchungen des Sirenengesangs insofern erlegen, als für sie zum einen der Gesang in seiner textgebundenen, institutionalisierten Form zusehends problemati-scher wurde, zum anderen auch der Text selbst, der in den Werken eher als auskomponierbare Lautstruktur denn als Sinnträger figurierte. So folgten Texte selbst dort, wo sie den Kompositionen noch »zugrundelagen« einem offenbar übermächtigen Trend zur Vokalise, wenn auch bei ge-nauerem Hinsehen und Hinhören die inhaltliche Dimension eines Textes im strukturellen Sinn einer Komposition sehr wohl präsent sein kann. Musik wird so zu einer Form der Auslegung, der Transposition, zur Über-setzung, die nicht mehr dem Schein der unmittelbaren Verständlichkeit erliegt.

Der anderen »Versuchung« der *Sirènes* Debussys: Aufhebung der Di-chotomie von Instrumental- und Vokalmusik, wurde erst unterm Druck der Medien, im Stadium der Tonbandmusik nachgegeben, sei es nun in der konkreten, die von Anfang an Vokales, gleichviel ob sprachbezogen oder nicht, in ihre Collagen einarbeitete, sei es in der »elektronischen«, die – fast von Anfang an – auf die Mitwirkung gesungener und gesprochener Sprache, stimmlicher Äußerungen nicht verzichten konnte, wenn sie nicht sogar ausschließlich aus derartigen »Materialien« herausgefiltert wurde und auf neuester technologischer Stufe »Sirenengesang« entband: in Berios *Omaggio a Joyce.* Die Huldigung hat tiefere Bedeutung: der im Sirenen-Kapitel des Ulysses sprachlich evozierte Gesang scheint nach die-ser »Übersetzung« allein wieder in der Musik zu Hause zu sein, die ihrer Intention nach und allen Anpassungsversuchen zum Trotz keine system-konforme, »in sich konsistente« Sprache sein kann, indes ebensowenig Sirenengesang. Daher die Notwendigkeit eines anderen Extrems: wohl auf alle Hervorbringungsweisen von Sprache, aber auf keinen Text mehr fixiert, weder Instrumental-, noch Vokal-, noch Tonbandmusik, weder Gesang noch Vokalise, und doch an das Potential von alledem erinnernd, den Irrationalismus der Musik irrational zersetzend – so stellt sich Schne-bels *Maulwerke*-Komplex (mit seinen Ausstrahlungen auf die Tradition in Schnebels Bach-Bearbeitungen) der Versuchung von Musik selbst; wieder-um ein Anfang, aber kein instrumental gesetzter, denn alle Instrumente sind hier nur noch Hilfsinstrumente, das heißt technische Geräte, und die menschlichen Organe die einzige Wurzel vokal-instrumentalen »Gesangs«, von »Prozessen«, die man auch als eine Odyssee der Ausführenden wie der Hörer beschreiben könnte.

II

Antizipatorische Bedeutung hatten die *Nocturnes* aber zunächst für De-bussys weiteres Oeuvre und sind daher auch in dieser Hinsicht ein

Schlüsselwerk. Nicht allein die Einbeziehung von Singstimmen in den vormals strikt instrumentalen Kontext teilen sie mit anderen, »kritischen« Werken der Epoche, so prinzipiell sich schon ihre Vokalität von jener in den Vokalsymphonien Mahlers, Skrijabins, Ives' unterscheiden mag. Die immanente Symphonik der *Nocturnes* wie auch die der anderen großen Orchesterwerke Debussys wäre dann der freie Gegenentwurf zur Symphonie als der zentralen Form der Instrumentalmusik. Von deren »Nutzlosigkeit« zwar überzeugt, vermochte sich Debussy ihrem Anspruch auf Dauer sowenig zu entziehen wie hernach Schönberg. Und Debussys (oft hämisch gegen ihn ausgespielte) Fixierung auf Wagner wäre denn auch ähnlich zu relativieren wie diejenige Schönbergs: beide verbündeten sich über Wagner hinweg mit der Klassik[3]. Einer der eindringlichsten Texte Debussys handelt von Beethovens Neunter Symphonie, von der langwierigen Arbeit an der »Leitidee« ihres Finales, davon »wie rein musikalisch sein Denken war, das ihn leitete (die Verse von Schiller haben dabei wirklich nur eine klangliche Bedeutung). Er wollte, daß diese Idee ihre eigenen virtuellen Entwicklungskräfte besäße, und wenn sie in sich von wundersamer Schönheit ist, so ist sie wundersam durch all das, womit sie seine Erwartung erfüllte. ... Eine überströmende Menschlichkeit sprengt die herkömmlichen Grenzen der Symphonie[4].« Von da aus scheint es nicht weit zur Utopie einer »Musik im Freien«, wie sie ein Text entwirft, der wiederum unmittelbar an Ives' Projekt einer »Universal Symphony« zu grenzen scheint: »Man könnte sich ein riesiges Orchester vorstellen, das durch die Mitwirkung der menschlichen Stimmen noch erweitert würde. ... Und von daher die Möglichkeit einer Musik, die eigens fürs »Freie« geschaffen wäre, eine Musik der großen Linienzüge, der vokalen und instrumentalen Kühnheiten, die über den Wipfeln der Bäume im Licht der freien Luft spielten und schwebten. Eine solche Harmoniefolge schiene in der Abgeschlossenheit des Konzertsaals befremdlich ... die großen Klangwirkungen (muß man) dazu benutzen, den Traum von Harmonie in der Seele der Menge zu vertiefen. Ein geheimnisvolles Ineinanderweben der wehenden Lüfte, des Säuselns der Blätter, des Blumendufts vollzöge sich, und die Musik könnte alle diese Elemente zu einer so vollkommen natürlichen Einheit binden, daß es schiene, als hätte sie an jedem von ihnen teil. Und die guten alten Bäume würden die Pfeifen einer Weltorgel bilden; ...«[5]

An solcher Horizonterweiterung arbeitete Debussy schon in den *Nocturnes* und bekämpfte derart für seinen Teil die Klaustrophobie der Musik im Endstadium ihrer bürgerlichen Phase. Die überlieferten Formen, so das Nocturne, erhalten neue Bedeutungshorizonte, die sie von den Schematismen der Katalogisierung und der Periodenhaftigkeit be-

---

[3] Vgl. hierzu auch das Zitat auf S. 55.

[4] Vgl. a.a.O. S. 35. Aufschlußreich ist in diesem Zusammenhang auch die Mitteilung Paul Vidals (in: La Revue musicale, Paris 1926, S. 15), Debussy habe mit ihm 1885 in Rom »minutieusement« u. a. eine Fassung der Neunten Symphonie für zwei Klaviere einstudiert.

[5] Vgl. a.a.O. S. 68/69.

freien und endlich individualisieren sollen. In den *Nocturnes* sind die wesentlichen Themenbereiche, auf die Debussy in den Kompositionen des folgenden Jahrzehnts immer wieder zurückkommen wird, bereits vorgezeichnet: Natur, Feste, also Gesellschaftliches, und Natur in mythologischer Beleuchtung. Das Meer von *Sirènes* wird in *La Mer* wiederkehren, dort quasi entmythologisiert, subjektiviert, als Schöpfung seiner privaten Mythologie, während die mythologischen Wesen als *Ondine*, Feen, Tänzerinnen in den *Préludes* wiederauferstehen. Die großstädtischen *Fêtes* erscheinen im Schlußteil von *Ibéria* um ländliche, um nicht zu sagen ländlerartige Aspekte bereichert, aber eigentlich hat das Fest spätestens im ersten Teil, auf allen Straßen und Wegen, bereits begonnen, ehe nach der Stille der *Parfums de la nuit* »der Morgen eines Festtages« anbricht. Die Stimmung von *Nuages* hingegen ist in vielen Klavierwerken gegenwärtig, auch wenn sie, wie in *Voiles*, nicht ausdrücklich das Thema Natur im Titel führen.

Und noch etwas anderes kündigt sich in den *Nocturnes* an: Debussys Vorliebe für die Dreiteiligkeit[6], unter deren Zeichen er seine Zyklen, die ja nicht mehr aus abstrakten »Sätzen« bestehen, gruppieren wird. Dreiteilig sind *La Mer*, *Ibéria*, desgleichen die *Images* für Orchester mit *Gigues*, *Ibéria* und *Rondes de Printemps;* ferner die *Estampes* und die beiden Serien der *Images* für Klavier, und womöglich ließen sich selbst bei den zweimal *Douze Préludes* und den *Douze Etudes* anhand inhaltlicher und formaler Kriterien geheime Dreierbeziehungen herauspräparieren. (Um auch ein paar Ausnahmen zu nennen: die *Deux Arabesques* für Klavier, die *Deux danses* für Harfe und Streichorchester und die vier symphonischen Fragmente aus *Le Martyre de Saint Sébastien.*)

Auch derlei Konstanten sind keinesfalls nur statistisch gesehen relevant, zeigen vielmehr an, daß Debussy nicht nur innerhalb der Stücke keine Scheu vor Wiederholungen[7] hat, sondern ebenso in Bezug auf seine »Sujets«, vor allem aber in der Anwendung seiner Formungsmittel sich im Grunde ständig wiederholt, seine Form nur gewinnen kann, indem er sich verwandte Formprobleme stellt, im wahrsten Sinne experimentiert. Seine »Klangchemie« ist immer zugleich Formchemie. Alle Elemente seiner Form sind ihrer Funktion nach gleichberechtigt, und da ihm schon der einzelne Ton, im Vorgriff auf die erst viel später zutage getretene kompositorische Relevanz seiner akustischen Definition, als Klang gilt, ist kein Element bloßes Zwischenglied »innerhalb« einer »Entwicklung«, die über seine Wenigkeit hinweggeht. Jederzeit kann es statt dessen an einer

---

[6] In seiner Studie »La Sirène dans l'élément musical« (1970), S. 4 sieht André Michel in der Affinität zur Zahl 3 ein Indiz für die »situation, typiquement et regulièrement œdipienne« Debussys nach seiner 1899 geschlossenen zweiten Ehe mit der geschiedenen Bankiersgattin Emma Bardac.

[7] Am Beispiel einer Image für Klavier erläuterte Heinz-Klaus Metzger 1964 in einer Sendung für den WDR »Warum Debussy fast alles zweimal sagt« (Untertitel: Ein Beitrag zur musikalischen Formenlehre des Außermusikalischen): durch seine Wiederholung wird ein zeitlicher, also irreversibler Vorgang in ein gleichsam stehendes »Klangbild von einer gewissen Dauer« uminterpretiert.

anderen Zeitstelle wieder relevant werden, wörtlich zitiert oder in charakteristischer Modifikation erneut seine Präsenz bewähren. Spätestens seit den *Nocturnes* zeichnet sich bei Debussy so etwas wie eine Form aus irreduziblen Momentformen oder Klangmomenten ab. Entwicklung ist nur mehr als unterbrochene zugelassen, selber ein historisches Relikt, das vorgeführt und alsbald entweder gebremst, »retardiert« wird oder auf halbem Wege, und zwar vor dem »Höhepunkt« abbricht. Von einem Moment zum andern vermag diese scheinbar so problemlose, in sich ruhende, einschmeichelnde Musik um- und auszuschlagen, den Schleier der Sanftheit zerreißend, den Hörer schrill anzufahren, dem Interpreten ein Äußerstes an Geistesgegenwart, an Konzentration auf einen Punkt abzufordern, um kurz darauf schon wieder in ganz anderer Richtung auszuschweifen – oder auszusetzen. Das ergibt keine runde Verlaufskurve, dagegen eine vielfach und komplex zusammengesetzte, mit den Jahren immer »infinitesimaler«, »unstetiger« werdend, unberechenbar und dabei Ausdruck eines einzigartigen Formbewußtseins.

Zumindest in einem Stück hat Debussy die Intention seiner Formgenese schon im Titel beim Namen genannt, in ». . . La sérénade interrompue«, dem neunten aus dem ersten Heft der 1909 begonnenen *Préludes*, das protokolliert, was auch in den übrigen *Préludes* und in den meisten Kompositionen mit rein poetischen Titeln musikalisch geschieht und woraus sich auch Spannungen zwischen den Stücken und Titeln entwickeln, sofern diese noch einheitliche Bilder vermitteln, die von der Musik längst nicht mehr ungebrochen dargestellt werden können. Die Titel sind daher – wie in den *Préludes* – eher Untertitel. In *La Sérénade interrompue* allerdings decken sich beide. Die zaghaft und gebrochen artikulierte Serenade (was im Französischen auch »Katzenmusik« bedeuten kann) wird auch von außen unterbrochen. Das Prélude ist nun der Vorgang des Präludierens zu einem Stück/Werk, das nur mehr in Bruchstücken real erklingt. Kaum sind die ersten drei Töne f – ges – f zweimal »quasi guitarra« gespielt, entsteht schon eine Unterbrechung: zwei Takte Pause. Darauf eine ab- und aufsteigende skalenartige Bewegung, mit einem Lautstärkesprung von pp nach mf in gebrochene Oktaven, Quarten und Quinten mündend; darauf wieder die Anfangsbewegung der drei Töne, pp, und erneuter Abstieg, wieder ansteigende Lautstärke für die drei Intervalle und wieder die Anfangsbewegung, diesmal jedoch in der Tiefe: F, F-c, F, wobei sich nun, nach einem ritardando aus der Quinte ein Impuls nach oben ergibt, der sich nach nochmaligem Anlauf, von der rechten Hand gleichzeitig mit Akkorden »begleitet«, zu einer ersten zusammenhängenden melodischen Linie entwickelt, die jedoch erneut in die horizontale, dann vertikale Quintenbewegung übergeht:

(a)

(b) stark modifiziert
(c)
(d) + (e) modifiziert

Nach der puren Einspielphase zeichnet sich in diesem Formteil erstmals Gestalthaftes ab, das indes nicht als »thematisches Material« dienen wird. Dieser Komplex wird vielmehr, als ganzer oder in Ausschnitten für den weiteren – unterbrochenen – Verlauf des Stückes entscheidende Funktionen übernehmen. So schon wenig später, nachdem sich die Quintenbewegung auf die Anfangstöne f – ges eingependelt hat, jetzt zur »Begleitung« einer »Melodie« aus vorerst zwei Tönen – kaum begonnen fällt sie wieder in den komplexen, »diagonal« orientierten Formteil zurück (a). Doch die eigentliche Unterbrechung steht noch bevor, denn plötzlich wechselt das Tempo, nun »Tres vif« statt »Modérément animé«, und ganz außerhalb der vorgezeichneten Tonart b-moll bricht gewalttätig ein Gebilde herein, das in anderem Zusammenhang kaum erschrecken würde, hier indes die Schärfe eines Clusters hat:

Die Musik scheint am Ende zu sein, findet aber sogar wieder zur Tonart zurück, sinkt allerdings in Skalenbewegung ab, verstört immerhin und dennoch irgendwie unverdrossen geschäftig. Sie fängt nicht mehr ganz von vorne an, setzt dort ein, wo sie schon früher hingelangen wollte. Die »Begleitung« verselbständigt sich vorübergehend sogar, sticht fast aggressiv gleitung« verselbständigt sich vorübergehend sogar, sticht fastaggressiv akkordisch hervor, um dann allerdings, wieder zurücktretend, eine weitgeschwungene Melodielinie in Quinten und Quarten zu grundieren, geht schließlich in eine dreitaktige Passage über, die aus dem komplexen Formteil abgeleitet wurde und sich am weitesten von ihm entfernt (b).

Dann setzt die »Begleitung« ganz aus, die Oberstimme, welche nun »Librement«, rezitativisch, reich ornamentiert zu hören ist, eigentlich nicht vom Klavier, eher von einem orientalischen Straßensänger zu »interpretieren«, wird daher vom Klavier quasi zitiert – und auch bald unterbrochen, denn pp hört man in der Ferne, »Modéré«, einen Umzug im Marschrhythmus:

(der in *Ibéria* – dort in Es-Dur – den Morgen eines Festtags einleitet), worauf die Gitarre »Rageur«, also wütend und f protestiert, jähzornig die ersten beiden Takte des komplexen Formteils anschlägt (c), ohne damit den Marsch zu verscheuchen, der – pp subito – nochmals drei Takte lang zu hören ist, was nun einen wahren Ausbruch von Jähzorn provoziert (d). Nur langsam beruhigt sich die Raserei, vermag die Oberstimme wieder sicheren Halt zu gewinnen, sich aufzuschwingen, sogar zu einem »Rubato«, doux et harmonieux, ehe das variierte Anfangsmotiv des komplexen Formteils sich einmischt (e) und nach einer absteigenden Skalenbewegung das Stück »en s'éloignant« fast auf konventionelle Weise schließt.

Gewiß ist die Musik in diesem Stück ihres Anfangs nicht mehr sicher, fängt eigentlich mehrmals und immer wieder aufs neue an, unterbricht sich selbst. Doch wehrt sie sich bei Debussy noch mit bemerkenswerter Kraft gegen die »externen« Störungen, und am aufbrausendsten gegen die relativ leisen, eher angenehmen, verstummt aber auch nicht, oder nur vorübergehend, vor dem brutalen Krach. Die Unterbrechung stört als unvorhersehbares, im tradierten Sinne nicht mehr begründbares Ereignis den Zusammenhang, doch die »Zusammenhangslosigkeit« ist komponiert und damit wieder ein Zusammenhang, und am Ende wieder ein Formschema, wie bei Strawinsky, der seit *Petruschka* Debussys Formkonzeption förmlich ritualisierte, derart die Unterbrechung, indem er die bei Debussy noch erfundenen besonderen Klangereignisse durch Zitate aus der Musikliteratur ersetzte. Ganz anders wirkte sich diese Konzeption bei Varèse aus, nicht zuletzt dank einer entwickelten Dialektik von Klang und Geräusch (und bei Varèse sind dann auch die Glissandi der modernen Sirenen zu hören, die Zerstörung ankündigen). Nach Varèse ist das Geräusch kein Störfaktor mehr, und in der Tonbandmusik wird selbst noch die technische Störung zum musikalischen Material, Musik selbst, ob im Titel angezeigt oder nicht, zur Störung der herrschenden Kommunikationssysteme.

III

»Man sucht seine Ideen in sich, statt sie außerhalb von sich zu suchen« – so Debussy in einem Interview (am 4. November 1909) zum Thema »Die Musik von heute und die Musik von morgen«[8], in dem er auch näher auf

---

[8] Vgl. a.a.O. S. 250/251.

das »außerhalb« wie auf die Art und Weise des Suchens einging: »Man hört nicht auf die tausend Geräusche der Natur um sich herum, man lauscht zu wenig auf die so vielfältige Musik, die uns die Natur überreich anbietet ... wir haben bis jetzt in ihr gelebt, ohne ihrer gewahr zu werden. Hier ist meiner Meinung nach der neue Weg.« Aus Sätzen wie »Glauben Sie mir, ich habe ihn noch kaum erahnt, und was zu tun bleibt, ist ungeheuer« oder ». . . wenn ich etwas gefunden habe, so ist es . . . nur eine verschwindend kleine Menge von dem, was zu tun bleibt« spricht missionarischer Eifer, der vielleicht nicht so ganz zum gewohnten Debussy-Bild passen will. War Debussy also ein Radikaler? Denn die Wendung zur Natur erhält ihren Impuls, ihre Dringlichkeit aus einer Absage, die, nimmt man andere Sätze des Interviews und aus seinen Schriften hinzu und verfolgt sie bis zu ihren letzten Konsequenzen – die gesamte europäische Musiktradition außer Kraft setzt. Debussy, ein »Alleszertrümmerer«? Jedenfalls nimmt Debussy wenig Rücksicht darauf, daß Monsieur Croche wörtlich übersetzt »Achtelnote« heißt und wagt auf dessen Kosten die provozierende These: »Die Musik war . . . bis zum heutigen Tag auf ein falsches Prinzip gegründet. Man hat viel zu sehr das *Schreiben* im Auge, man macht Musik für das Papier, dabei ist sie doch für die Ohren bestimmt!« Und zwar für die Ohren des Hörers: sie muß »spontan aufgenommen werden können, er darf nicht Mühe haben, in den Mäandern einer komplizierten Entwicklung die abstrakten Ideen zu erkennen«.

Solche Ideenmusik, die Debussy als »Metaphysik« entlarvte, war für ihn indes keine episodenhafte Abweichung vom geraden Weg, vielmehr Resultat der ideologisch gewordenen traditionellen »Lehren« – vom Tonsatz, von der Form, vom Handwerk, gegen welche die Neue Musik so vergeblich rebellierte. »Man kombiniert, man konstruiert, man ersinnt Themen, die Ideen ausdrücken, man entwickelt sie, modifiziert sie bei der Begegnung mit anderen Themen, die andere Ideen ausdrücken« – das liest sich, läßt man Kombination und Konstruktion beiseite, wie ein Abriß dessen, was für alle relevanten Strömungen der Musik der fünfziger Jahre auf dem Index stand, obenan auf dem der extrem auf die Schrift fixierten, adäquat allein von der Partitur her zu verstehenden seriellen Musik, die in der Stunde Null auch die Musik Debussys so »positivistisch« interpretierte, wie es dem antimetaphysischen Reflex ihres Autors zukam. Ihm gegenüber erschien nun Schönberg als der letzte Metaphysiker, der in seiner Harmonielehre sich gleichwohl – sicher auch mit einem Blick auf Debussy – aufs Gefühl, auf den Trieb, vor allem aber aufs Gehör berufen hatte, das »doch eines Musikers ganzer Verstand ist«[9].

Aber auch Debussy, der nie eine Schule initiiert hat, blieb auf die Dauer unzeitgemäß, denn im Zeichen fortschreitender Naturbeherrschung konnte gerade in der Musik von Natur nur noch in naturwissenschaftlicher Terminologie und deren Methodik die Rede sein, nicht von der

[9] Vgl. Arnold Schönberg, Harmonielehre, Wien 1949, S. 492.

Rettung des Kunstschönen durch das Naturschöne. Das war ein anderer Weg. Allerdings zeichnete sich, nachdem die Musik künstlicher, intelligibler, konstruktivistischer denn je geworden war, dennoch eine gewisse Degradierung der Schrift ab, wenn nicht der Schrift überhaupt, so doch der einen, verbindlichen Notenschrift, mit dem Ergebnis, daß seither eine Vielzahl privater Schriften und Bilder als Musikaufzeichnungen kursieren. Ungleich epochaler war jedoch die Verwendung neuer Aufzeichnungstechniken, die das Schreiben von Musik entweder zu einer musikalischen Handlung oder zusehends überflüssig machten, sie dafür unwiderruflich an die herrschenden Medien fesselten, wie erfolgreich sich die Mehrzahl der Komponisten auch heute noch über die Folgerungen aus diesem Sachverhalt im unklaren sein mag. Erkennbar oder nicht sind in die Tonbandmusik auch die Geräusche der Natur eingegangen, wird Natur für den Großstädter, der sie in der Freizeit oder im Urlaub besuchen darf, künstlich, als Environment, als Kunst nachgestellt, erscheint als kaum veränderte Aufnahme auf Schallplatte, Bestandsaufnahme der Überreste – von *La Mer* zu Luc Ferraris *presque rien no. 1:* Musik, nicht mehr so frei nach der Natur, eher eine Dokumentation, wie etwa das Tondokument der letzten Dampflokomotive. Für scheinbar medienunabhängige »Konzertstücke« wie Christian Wolffs *stones* und *sticks* können sich die Spieler hingegen ihre »Instrumente« draußen in Wald und Feld selber suchen, und auch die Kompositionen für ein so kostbares Element wie Wasser sind schon nicht mehr zu zählen. Was die Aufzeichnung angeht, handelt es sich zumeist um Musik fürs Ohr, nicht mehr so sehr fürs Auge, sofern dieses unbedingt noch etwas auf dem Papier sehen will. Davon sind auch Stücke fürs herkömmliche Instrumentarium nicht auszunehmen. Das Spielmaterial für eine Klavierkomposition von einer Stunde Dauer besteht womöglich aus wenigen Tonfiguren, die sich bequem auf jeden beliebigen Zettel notieren lassen, und manches von Riley und seinen europäischen Filialen würde frappierend »wie Debussy« klingen, wenn nicht ununterbrochenes, pausenloses Tönen und der Verzicht auf jegliche dynamische Differenzierung, wenn nicht solche Regression bei Debussy undenkbar wäre.

Trotz all dieser »Tendenzen« ist dennoch nichts Abschließendes darüber zu sagen, ob Debussys »neuer Weg« je ins Auge gefaßt, geschweige denn beschritten wurde. Zweifellos war er radikaler gemeint, wie am Ende jener »schreckliche« Satz des Monsieur Croche, des »Antidilettanten«, dem man zutrauen darf, daß er wußte, wovon er sprach, auch wenn er sich nicht auf die Musik von morgen bezog und sich streng und ausschließlich auf die Natur beschränkte: »Den Sonnenaufgang betrachten ist viel nützlicher als die *Pastoralsymphonie* hören[10].«

[10] Vgl. a.a.O. S. 49.

Arthur Hoérée

»Images oubliées«

Zu drei unveröffentlichten Klavierstücken Debussys*)

... Debussy komponierte diese drei Stücke, die er *Images* nannte, gegen Ende 1894. Das Originalmanuskript gehörte zur Sammlung des Pianisten Alfred Cortot, und diese Stücke sind nur durch einige Schallplattenaufnahmen des pianistischen Gesamtwerks Debussys bekannt. In der Folge publizierte der Komponist unter dem gleichen Titel zwei Serien von Klavierstücken: *Images I* von 1905 enthalten *Reflets dans l'eau, Hommage à Rameau, Mouvements; Images II* von 1907–08 enthalten *Cloches à travers les feuilles, Et la lune descend sur un temple qui fut, Poissons d'or.* Schließlich erschienen die *Images pour orchestre,* komponiert zwischen 1906 und 1912, die aus drei Partituren bestehen: *Gigues, Ibéria* (in Form eines Triptychons), *Rondes de printemps.* Die »vergessenen« *Images* wurden während der Ausarbeitung der ersten Version von *Pelléas et Mélisande* (1893–95) und des *Prélude à l'Après-midi d'un faune* (1892–94) konzipiert. Sie folgen auf eine Reihe von Stücken, die nicht den wesentlichsten Teil des pianistischen Œuvres des Komponisten (mit Ausnahme vielleicht der *Arabesques* von 1888, der *Danse* von 1890, des *Clair de lune* aus der *Suite bergamasque,* der *Marche écossaise* von 1891) ausmachen; sie gehen der Suite *Pour le piano* (1896 bis 1901), dem ersten repräsentativen Werk für Klavier, voraus. Die *Images* von 1894 sind Mademoiselle Yvonne Lerolle dediziert, der Debussy bei ihrem Vater begegnet war, dem Maler Henri Lerolle (1848–1929), dessen Arbeiten, hauptsächlich Holzintarsien, ihren Platz unter den Meisterwerken hatten, die das Haus Ernest Chaussons schmückten. Eine herzliche Freundschaft verband Debussy mit dem Maler und mit dem Komponisten, die zwei Schwestern, Madeleine und Jeanne Escudier, geheiratet hatten. Sehr empfänglich für das »ewig Weibliche«, muß Debussy zärtliche Gefühle für die bezaubernde Widmungsträgerin seiner *Images* empfunden haben, ein zerbrechliches junges Mädchen von diskretem

* *Anm. d. Hgs.* Der Text ist dem Vorwort entnommen, das Hoérée zu der unter dem Titel »Images oubliées« von ihm besorgten ersten Edition dieser Stücke schrieb. Copyright 1977 by Theodore Presser Company, Bryn Mawr, Pennsylvania. Used by Permission of the publisher.

Charme, strahlend im Glanze ihrer siebzehn Jahre, deren harmonische Züge Maurice Denis, der zum selben Freundeskreis gehörte, mit dem Pinsel festgehalten hat.

Zuvor, im Februar des gleichen Jahres 1894, hatte Debussy dem jungen blonden Mädchen einen Fächer mit sehr sibyllinischer Widmung geschenkt: »Für Mademoiselle Yvonne Lerolle in Erinnerung an ihre kleine Schwester Mélisande«. Dieses Geschenk mag erstaunen kurz vor der Ankündigung von Debussys Verlobung mit einer Sängerin, Mademoiselle Thérèse Roger, Interpretin seiner *Proses lyriques,* einer Verbindung, die nach einem Monat zerbrach. Es war ums Ende des Jahres 1894, als die *Images* mit den folgenden Zeilen an ihre Widmungsträgerin gesandt wurden: »Mögen diese ›Images‹ von Mademoiselle Yvonne Lerolle mit ein klein wenig der Freude aufgenommen werden, die ich hatte, sie ihr zu widmen.«

Als die zweite dieser *Images* unter dem Titel *Sarabande* in der musikalischen Beilage des »Grand Journal du Lundi« (17. Februar 1896) erschien, erhielt Debussy die Widmung »à Mademoiselle Yvonne Lerolle« aufrecht. Die Erinnerung an sie blieb im Herzen des Komponisten lebendig, denn zu Beginn der revidierten *Sarabande,* die zum zweiten Stück der Suite *Pour le piano* von 1901 geworden war, steht: »à Madame E. Rouart (née Y. Lerolle)«. Das junge Mädchen hatte nämlich 1898 Eugène Rouart geheiratet, dessen Bruder Alexis mit Jacques Lerolle, dem Bruder Yvonnes, den Musikverlag Rouart-Lerolle gründete. Debussy selbst hatte 1899 Lilli Texier geheiratet.

Das Autograph der *Images,* von länglichem italienischem Format, besteht aus dreizehn Seiten Musik und einem Deckblatt mit dem Titel sowie einem zweiten Blatt mit der Widmung und dem Hinweis: »Diese Stücke scheuen sehr die ›glänzend erleuchteten Salons‹, in denen sich gewohnheitsmäßig Leute versammeln, die keine Musik lieben. Diese Stücke sind vielmehr ›Gespräche‹ zwischen dem Klavier und einem selbst; es schadet darüberhinaus nichts, sie mit dem eigenen bißchen Sensibilität an angenehmen Regentagen zu spielen.« Hier zeigt sich der ironische Debussy, der auch diese *Images* mit verschiedenen Annotationen versah in der Art – wenn auch nicht ganz so ätzend kauzig – Saties.

Debussy – stets um Perfektion bemüht und sehr selbstkritisch – hielt es nicht für gut, sein Manuskript veröffentlichen zu lassen. Das erste Stück, *Lent (mélancolique et doux),* ein wirklich »vergessenes« Bild, ist gleichwohl keine Schande für den Komponisten. Eine Art Prélude von subtiler harmonischer Sensibilität, bewahrt es in seiner schmiegsamrhythmischen Fortbewegung träumerische Grazie. Das zweite Stück trägt die Anweisung: »In der Art einer ›Sarabande‹, das heißt mit feierlich-langsamer Eleganz, ein wenig wie ein altes Porträt, Erinnerung an den Louvre etc.« Es handelt sich um die erste Fassung der zukünftigen *Sarabande* der Suite *Pour le piano* von 1901, die in Paris bei den Editions Fromont-Jobert erschien. Ein Vergleich der beiden Versionen ist höchst

instruktiv: obwohl Form und Melodielinie identisch sind, sind die Modifikationen im Détail zahlreich, vor allem in der Harmonie, die durch-
wegs klarer wurde und sich besser dem Hauptcharakter des Stückes ein-
fügt. So verschwindet der modulatorische Aspekt des ersten Taktes –

und die definitive Version gewinnt an Reinheit:

Die Fassung letzter Hand bleibt das Modell, um dem Gedanken eines
Musikers treu zu bleiben, der nie aufhörte, »an das nackte Fleisch der
Empfindung« zu rühren. Die erste Version hingegen setzt die Markie-
rung, von der man ausgehen muß, um voll zu ermessen, wie das profes-
sionelle Bewußtsein und Gewissen eines Künstlers arbeitet, der zehn
Jahre daran wandte, Pelléas et Mélisande zu vervollkommnen; und wenn
ein Interpret die Ausgangsversion spielen will, wäre es wünschenswert,
sogar loyal, die bei den Editions Fromont-Jobert veröffentlichte Endfassung folgen zu lassen. Das dritte Stück, das bei weitem entwickeltste,
trägt den Titel Einige Aspekte des »nous n'irons plus au bois«, weil das
Wetter so unausstehlich ist. Munter, spontan, doch von weniger strengem
Stil als das vorige, basiert es auf einem dem Komponisten lieben Volks-
lied, das in den Jardins sous la pluie von 1903 wiederkehrt. Das ist die
einzige Beziehung zwischen den beiden Stücken. Zum späteren, von
wesentlich entwickelterer Faktur, wurde Debussy durch die Gärten (im
Regen) des Hôtel de Croisy zu Orbec im Calvados inspiriert, wo er sich
Pfingsten 1894 mit seiner »Freundin« Gaby Dupont aufhielt. Dieser
Meinung ist Henri Pellerin, der sich auf das schöne Buch »La Passion de
Claude Debussy« von Marcel Dietschy beruft. Jedoch paßt diese Erklä-
rung wegen des Datums 1894 eher zu der dritten der Images oubliées.
Hingewiesen sei noch auf die Anmerkung, die das Manuskript an der
Arpeggiostelle (Buchstabe A) aufweist: »Hier ahmen die Harfen zum
Verwechseln die Pfauen nach, wenn sie Räder schlagen; oder die Pfauen

ahmen die Harfen nach (Wie es euch gefällt!), und schon erbarmt sich der Himmel der hellen Kleidung.«

(. . .)

Sind diese *Images* »impressionistisch« gemäß dem geheiligten und im übrigen fragwürdigen Epitheton, oder sind sie »symbolistisch«? Meint »Bild« hier »Vision« von Gesehenem, also Beschwörung eines empfangenen und umgesetzten Eindrucks, wie die Anspielung auf den »Louvre« und das »unausstehliche Wetter« nahegelegt? Oder bedeutet »Bild« hier »Metapher« wie in der symbolistischen Dichtung, die die Dinge nicht ausspricht, sondern ihnen nahekommt, sie umkreist, sie andeutet? Wir optieren entschieden für die erste Deutung, – und im übrigen liegt das Interesse der Stücke ganz woanders. Ihre Herausgabe soll nicht nur zwei unbekannte Kompositionen Debussys zugänglich machen, was allein schon unschätzbar wäre, sondern mit dem ursprünglichen Zustand der *Sarabande,* der jetzt mit der Endfassung verglichen werden kann, eine Anregung bieten, den Weg nachzuvollziehen, den ein künstlerisches Genie auf der Suche nach Vollkommenheit zurückgelegt hat – ein Künstler, der der Musik ein blendend neues Antlitz verlieh. Gewiß bedürfte es aber auch keiner romantischen Übertreibung, den jungen Debussy, der für die verführerische Yvonne Lerolle komponiert; dann das junge Mädchen selbst, wie es am Klavier sitzt und diese *Images* unter Anleitung eines jungen Schülers des Conservatoire, des später berühmten Alfred Cortot, einübt; schließlich das Geschick, das viel später das kostbare Manuskript in die Hände des zum Sammler gewordenen einstigen Klavierlehrers brachte, in einem einzigen idyllischen Tableau sich vorzustellen.

(Aus dem Französischen übersetzt von R. Riehn)

Heinz-Klaus Metzger

»Khamma«

Von Debussys großen Spätwerken ist bis heute die Ballettmusik
»Khamma«, deren vertrackte Entstehung sich zwischen »Le Martyre de
Saint-Sébastien« und »Jeux« abspielte, merkwürdig unbekannt geblieben,
wie wenn der Schluß des Schönberg-Teils der Philosophie der neuen Musik,
der doch weiß Gott über andere kompositorische Realien spekuliert, eigens
auf sie zielte: »Keiner will mit ihr etwas zu tun haben, die Individuellen
so wenig wie die Kollektiven. Sie verhallt ungehört, ohne Echo. Schießt
um die gehörte Musik die Zeit zum strahlenden Kristall zusammen, so
fällt die ungehörte in die leere Zeit gleich einer verderblichen Kugel. Auf
diese letzte Erfahrung hin ... ist die neue Musik spontan angelegt, auf das
absolute Vergessensein. Sie ist die wahre Flaschenpost.«[1] Daß nicht einmal
eine Studienpartitur bislang herausgebracht ward, ist die handgreiflichste
Folge der herrschenden Unkenntnis des Werks und einzig bei Fachleuten
wohl deren pragmatischer Grund. Rezeptionsgeschichte – bis zu ihrer
perversesten Konsequenz, eine Musik sei dann bedeutend, wenn sie möglichst vielen (oder jedenfalls den richtigen) Menschen, zum Beispiel einer
illusionären kulturellen Elite oder, bei entgegengesetzter politischer Partei-
nahme, dem Proletariat als der vermeintlich noch revolutionären Klasse,
etwas (was eigentlich?) bedeute –: Rezeptionsgeschichte wird gern gegen
diejenige Bedeutung usurpiert, die den ästhetischen Gebilden an sich selber
eignet, und die freilich ebensowenig zu hypostasieren wäre. »Die neue
Musik, die nicht willkürlich von sich aus in den Kampf eingreifen kann,
ohne darüber die eigene Konsistenz zu verletzen, bezieht in diesem, wie
ihre Feinde wohl wissen, wider ihren Willen dadurch ein Position, daß
sie den Trug der Harmonie aufgibt, die angesichts der zur Katastrophe
treibenden Realität unhaltbar geworden ist. Die Isolierung der radikalen
modernen Musik rührt nicht von ihrem asozialen, sondern von ihrem
sozialen Gehalt her, indem sie durch ihre reine Qualität und umso nach-
drücklicher, je reiner sie diese hervortreten läßt, aufs gesellschaftliche Un-
wesen deutet, anstatt es in den Trug der Humanität als einer bereits schon
gegenwärtigen zu verflüchtigen. Sie ist keine Ideologie mehr.«[2] Seit Ador-
nos Tod jedoch ist vollends – just auch im Namen einer vorgeblich mate-
rialistisch-dialektischen Ästhetik – die Besinnung auf des Kunstwerks
eigenen Sinn in Verruf geraten, und Komponisten werden stattdessen
wieder mit der vexierenden Frage befaßt, für *wen* sie komponieren[3], als

---

[1] Theodor W. Adorno, Philosophie der neuen Musik, 2. Ausgabe, Frankfurt am Main 1966,
p. 126.

[2] Ibid., p. 124s.

[3] Cf. Hansjörg Pauli, »Für wen komponieren Sie eigentlich?«, Frankfurt am Main 1971.

ob unter den gegenwärtigen objektiven Bedingungen irgendjemand noch irgendetwas für irgendwen tun könnte, ohne ihn gerade dadurch keineswegs nur metaphysisch, sondern auch physisch zu betrügen. So sind die Verhältnisse samt der Anstrengungen, sie zu wenden.

Debussy hat »Khamma«, sollte er das Werk denn überhaupt »komponiert« haben – den Begriff des Komponierens, dem in dem irregulären Produktionsprozeß, um den es bei dieser Musik geht, allerdings eine ganz andere Dignität zukommt, einmal im konventionellen autorschaftlichen Verständnis genommen –, für eine Kundin komponiert: für die Tänzerin Maud Allan, die sich davon einen Gebrauchswert erhoffen durfte. Der zugrundeliegenden tieferen Intention nach ist die Partitur indes als Teil einer Serie verzweifelter Versuche des schon schwer Kranken aufzufassen, furchtbare finanzielle Bedrängnisse abzuwenden. »It is true that Debussy was loath to accept a commission to compose a ballet on this subject, and it is also true that he agreed to do so principally for material reasons. The same is true, however, not only of *Saint-Sébastien* but also of *Jeux* and, in varying degrees, of several other works of his later years. Rather unwillingly, Debussy was being drawn at this time into the world of the ballet and the theatre. This was not surprising. It was in this domain that, before the age of film music, a composer could hope to procure the most lucrative engagements. In his uncertain state of health and with his growing liabilities towards his wife and daughter, Debussy threw himself into the composition of these commissioned works, overcoming as best he could many personal and artistic aversions.«[4] Man kann sich die Lage nicht dramatisch genug denken: er, der die Arbeit an »Le Diable dans le beffroi« und »La Chute de la maison Usher« in diesem Moment erneut seiner pekuniären Sanierung opfern muß – »... j'ai délaissé les étranges histoires de Monsieur E.-A. Poe pour les jambes en volutes de quelques-unes des plus notoires danseuses de notre temps...« (14. Februar 1911) –, ist nach der Rückkehr von Konzerten in Wien und Budapest zu geschwächt, um die Mühsal des Partiturschreibens auszuhalten. Für das fünfaktige Sebastiansmysterium nach d'Annunzio, das Ida Rubinstein angekauft und für den 22. Mai 1911 zur Uraufführung angesetzt hat, so daß infernalischer Termindruck über der Arbeit waltet, übernimmt André Caplet die Orchestration ausgedehnter Partien. »Produced in May, this huge venture left (Debussy) exhausted, with the result that a concert he conducted at Turin later in the year was a fiasco. He was now walking with difficulty and at the rehearsals was manifestly unable to control the hostile Italian orchestra. He hurried back to Paris...«[5] Schwerer zu bestimmen ist der Anteil Charles Kœchlins an »Khamma«; Lesure gibt die folgenden autographen Quellen an[6]:

---

[4] Edward Lockspeiser, Debussy. His Life and Mind, vol. II, London-New York 1965, p. 155s.
[5] Ibid., p. 10.
[6] Cf. François Lesure, Catalogue de l'Œuvre de Claude Debussy, Genf 1977, p. 132.

1. Partiturmanuskript beim Verlag Durand & Cie in Paris (die ersten zehn Seiten in Bleistift von Debussys Hand, die restlichen siebzig Seiten von der Hand Kœchlins);
2. eine als »1. Fassung« bezeichnete Skizze von Debussys Hand in der Bibliothèque Nationale (Ms. 15470), die aus numerierten Seiten 30–35, 48–49, 58–59, 62, 67–69, 72 und 80 besteht;
3. eine Skizze von Kœchlins Hand (28 Seiten)[7].

Kœchlin selbst verschweigt in seiner Debussy-Monographie, daß er es war, der an der Partitur mitwirkte: »*Khamma* (composé en 1912, orchestré en 1913 sous la surveillance de Claude Debussy, par un de ses confrères – à l'exception des premières pages, que le maître avait réalisées) n'a pas encore vu la scène.«[8] Lockspeiser offeriert dazu eine Ergänzung: »In his book on Debussy, Koechlin promised to make known one day a remark which the harassed composer had made to him about *Khamma* and which he had up till then withheld. On his last visit to London Koechlin kindly supplied me with the text of this remark, an amazing remark in whatever context it was made, and which understandably left Debussy's young associate nonplussed. It was: ›Write *Khamma* yourself and I will sign it.‹«[9]

Jedenfalls ward »Khamma« als Ware konzipiert, und es bedurfte zu deren Herstellung offensichtlich einer Organisationsform, der sich individualistisch gesonnene Künstler gemeinhin mit Abscheu verweigern: der Arbeitsteilung. »Pauvre Debussy! Le temps est passé des grandes réalisations théâtrales, et l'époque ne s'y prête guère: Paris, depuis 1909, est envahi d'étrangers de tout acabit, la chorégraphie y connaît des jours fastes; il n'est question que de ballets, de galas, de divertissements. Jusqu'à Toulet qui pense à un ballet persan. Sous l'empire des nécessités matérielles, Debussy doit se commettre avec ces ›entrepreneurs de spectacles‹ . . .«[10] Solche Zuspitzung marquiert den dialektischen Punkt, wo die Nachfrage auf dem Markt, also die reine Rezeptionsgeschichte, auf den Kompositionsprozeß selber zurückschlägt, und zwar dergestalt, daß ihre ökonomische Wucht, in Not und damit auch schon Notwendigkeit übersetzt, ihn überhaupt erst generiert: ». . . n'oubliez pas que je suis un compositeur paresseux . . .« (1908). »Khamma« in einem ernsthaft Adornoschen Sinn

---

[7] Mikrofilmkopien der Quellen 2 und 3, die ich am 7. September 1977 bei der Bibliothèque Nationale gelegentlich einer persönlichen Vorsprache bestellte, sind bislang nicht eingetroffen. Meine Beobachtungen über »Khamma« stützen sich auf den Höreindruck und die von Durand & Cie als Aufführungsmaterial leihweise vertriebene Dirigierpartitur, die mir von der für die BRD zuständigen Auslieferung, dem Musikverlag Otto Junne, München, freundlicherweise zu Studienzwecken zur Verfügung gestellt wurde. Sie ist von Kopistenhand geschrieben und trägt auf dem Deckblatt außer Debussys Monogramm die Angaben: »Khamma, Partition d'Orchestre, Claude Debussy«. Es dürfte sich um eine Abschrift von Quelle 1 handeln. Unbrauchbar ist wegen Verstümmelung oder Weglassung oft der konstitutivsten Schichten des Notentexts der seit 1916 von Durand vertriebene Klavierauszug (»Réduction pour piano par l'auteur, Edition originale«).
[8] Charles Kœchlin, Debussy, Paris 1956, p. 35s. — Die Datierung ist ungenau: Debussy muß »Khamma« spätestens Anfang 1911 begonnen haben.
[9] Lockspeiser, loc. cit., p. 156.
[10] Marcel Dietschy, La passion de Claude Debussy, Neuchâtel 1962, p. 222.

»physiognomisch«[11] zu verstehen, würde die paradoxe Operation erfordern, die Partitur bis in ihre outriertesten, inkommensurablen Subtilitäten an Einfall und Technik hinein als eine Konfiguration von Spuren zu entziffern, die in der Matrize der reinen ästhetischen Création als deren Konstituëns das Interesse der empirischen Selbsterhaltung hinterlassen hat, die in der bestehenden Gesellschaft durch den Tausch erfolgt und einzig im Tauschwert der Gebilde sich mit der freilich tragischen, hier bereits akuten Pointe bemißt, daß sie wohl noch der ökonomischen, nicht aber auf Dauer der letalen biologischen Wirklichkeit abgelistet werden kann; und zugleich die ästhetische Objektivation als Gestalt der erscheinenden Wahrheit, relativ als Absolutum, als »sinnliches Scheinen der Idee«, zu déchiffrieren. Indem kraft der immanenten Qualität des Komponierens der Warencharakter der Komposition umschlägt in deren Inkommensurabilität, entzieht sich das Werk eben der Rezeptionsgeschichte, aus der es entsprang. »COMMENTAIRE: commande de la danseuse canadienne Maud Allan. Un contrat fut signé le 30 septembre 1910; le ballet devait alors être intitulé *Isis*. Debussy travailla à *Khamma* dans le courant de 1911. La réduction pour piano était achevée en janvier 1912 et, en avril suivant, il écrivait à Durand qu'il voulait ›terminer au plus vite l'orchestration‹. C'est alors que Maud Allan demanda des modifications: un découpage plus proche du scénario et une orchestration plus légère. Debussy, furieux, refusa (juin). J. Durand s'entremit et en septembre 1913, Debussy écrivait à celui-ci qu'il n'avait plus que ›quelques modifications‹ à y apporter. Celles-ci tardèrent longtemps et ce fut finalement Charles Kœchlin qui acheva la partition en s'inspirant des premières pages orchestrées par l'auteur. Un projet de création à New York sous la direction d'Ernest Bloch en 1916 échoua.«[12] Mehr als ein Lustrum verstrich nach Debussys Tod, bevor die Partitur – am 15. November 1924 in den Concerts Colonne unter der Leitung von Gabriel Pierné – konzertant uraufgeführt ward; als Ballett wurde sie – nach einer Choreographie von Jean-Jacques Etcheverry – erst am 26. März 1947 in der Opéra-Comique unter Gustave Cloez gegeben. Beide Präsentationen blieben offensichtlich dermaßen ohne Folgen, daß im allgemeinen Bewußtsein konkurrenzlos sich die Fehlurteile der Biographen festsetzen konnten[13]. Als Ware ist »Khamma« gescheitert, ja war ein Ladenhüter vom ersten Tage an[14].

---

[11] Cf. Adorno, Mahler. Eine musikalische Physiognomik, Frankfurt am Main 1960.

[12] Lesure, loc. cit., p. 132s. — Bei der »réduction pour piano« kann es sich nicht um den veröffentlichten Klavierauszug gehandelt haben, da dieser keinerlei Instrumentationsangaben enthält, wie sie Maud Allan vorgelegen haben müssen, als sie »une orchestration plus légère« verlangte. Einer derzeit unüberprüfbaren Legende zufolge soll Maud Allan eine vollständig von Debussy geschriebene Partitur (oder ein Particell?) besessen und Ernest Bloch vermacht haben. In dessen Nachlaß ist nach Auskunft seiner Witwe nichts dergleichen vorhanden.

[13] »Merkwürdig, daß Debussy zu gleicher Zeit wie den transparenten *Martyre* ein so handfestes Stück wie *Khamma* schreiben konnte. Bei allen technischen und harmonischen Eigenarten seiner Handschrift hat diese Musik eine dekorative Geste, eine melodiöse Glätte, die man in keiner anderen Komposition Debussys antrifft.« Heinrich Strobel, Claude Debussy, 5. Aufl., Zürich 1961, p. 206. — »Hohe artistische Verfeinerung birgt das 1912 entstandene Tanzspiel *Jeux*, dessen Höhe von der Ballettmusik *Khamma* des gleichen Jahres, einem reinen Gelegenheits-

Ich bin 1975 durch eine Rundfunksendung – die Ausstrahlung einer
schon »historischen« Aufnahme: der verstorbene René Leibowitz dirigierte
die Orchestra sinfonica di Milano della Radio-Televisione italiana – erst
auf das Werk gestoßen. Es überraschte mich vollkommen und stellte sich
mir als Debussys wohl bedeutendste, gewiß avancierteste Komposition
dar. Das hat sich mir beim wiederholten Abhören des Tonbandes und
durchs Studium der Partitur je länger desto begründeter bestätigt, doch
ward seither die Rekonstruktion des ersten Eindrucks schwierig, da er
sich mir längst in ganz andere Befunde umgesetzt hat, und könnte schwerlich überhaupt noch gelingen, wenn nicht die spontan formulierte Reaktion
anderer Musiker, denen ich die Aufnahme des ihnen unbekannten Werks
vorspielte, ihn mir stets bis in Détails hinein reproduziert hätte. Indes
bringt der Versuch, ihn wieder zu evozieren, theoretisch Entscheidendes.
»Khamma« hat offenbar die Gabe, welche auf der kompositorischen
Struktur beruhen muß, zunächst so zu wirken, als sei die Kategorie des
musikalischen Zusammenhangs – zumindest als Konstituëns der Groß-
form, aber auch in zahllosen örtlichen Konstellationen des Diskurses –
radikal suspendiert und auf dem Wege ihrer Aufhebung in Cages Spät-
werk begriffen. Dem im Stande der Virginität dem Stück begegnenden
Hörer imponiert der eigentümliche Verlauf als wesentlich asyntaktische,
freie[15] Fügung: eine nicht regulierte Folge kaum verknüpfter, manchmal
durch Überleitungsfloskeln, gleichsam Interpunktionen, eher getrennter
denn zwingend verbundener, nicht selten aber unvermittelt jäh anein-
andergesetzter Episoden. Ein Prinzip, wie diese aufeinander zu beziehen
seien oder in den Arbeitsgängen ihrer Produktion bezogen worden sein
mögen, ist nicht im Phänomen abgebildet, das erste Liebe deutlich wahr-
nimmt. Diese scheut die Arbeit schlechterdings. Eine Form, wie man hier
sie im Gegensatz zum Verfahren der Debussyschen Musik wahrhaft »impressionistisch«, nämlich auf Grund der freilich schon reflektierten Impres-
sion, prima facie registrieren möchte, hat später Franco Evangelisti tatsächlich komponiert: »Random or not random, appunti degli anni
1956–1962, per orchestra«: also eine Serie unzusammenhängender, dis-
kontinuïerlich über Jahre in Partiturform angesammelter »Notizen«, die
zur wahren Gestalt des Symphonischen nach dessen Zerstörung sich kumu-

werk, nicht erreicht wird.« Werner Danckert, Claude Debussy, Berlin 1950, p. 75. —
»... Khamma ... Ce devait être un simple numéro de music-hall ... (...) Le dédain marqué
par le compositeur pour cette musique de commande, pour cette sorte de partition d'échan-
tillons évoquant le souvenir de diverses œuvres précédentes, s'explique d'autant mieux ...«
Léon Vallas, Claude Debussy et son temps, Paris 1958, p. 357s. — Derart groteske Verken-
nungen möchten sich zum Teil erklären, wenn man sich zu der Annahme entschließt, es habe
den Autoren allein der unglückliche Klavierauszug vorgelegen.

14 Solches Schicksal ist gerade bei kommerziell intendierten Werken großer Komponisten fast die
Regel. Man denke an Schönbergs »heitere« Oper »Von heute auf morgen«, welche ihr Urheber
dazu bestimmt hatte, die Tageserfolge von Křeneks »Johnny spielt auf« und Hindemiths
»Neues vom Tage« zu schlagen. Sie gefällt noch heute fast niemandem.

15 Freiheit ist in der musikalischen Formenlehre ein schwer geschädigter Topos. Schulmäßig gelten
als »freie Formen« — im Gegensatz zu »strengen« — solche, die in schulmäßigen Kategorien
nicht streng analysiert werden können.

lieren. Hegel sah diese Konsequenz bereits zur Zeit der Romantik als die letztlich notwendige des Prinzips der Instrumentalmusik voraus: »Als das allgemeine Princip dieser Stufe jedoch haben wir von Anfang an die Subjektivität in ihrem ungebundenen musikalischen Schaffen hingestellt. Diese Unabhängigkeit von einem für sich schon festgemachten Inhalt wird deshalb mehr oder weniger immer auch gegen die Willkühr hinspielen, und derselben einen nicht streng abgrenzbaren Spielraum gestatten müssen. (...) Ja im Verfolg der Ausbildung auch dieser Gattungen macht sich zuletzt die subjektive Willkühr mit ihren Einfällen, Kapricen, Unterbrechungen, geistreichen Neckereien, täuschenden Spannungen, überraschenden Wendungen, Sprüngen und Blitzen, Wunderlichkeiten und ungehörten Effekten, dem festen Gang des melodischen Ausdrucks und dem Textinhalt der begleitenden Musik gegenüber, zum fessellosen Meister.«[16] Freilich gibt es nichts, darin nicht dessen eigene Negation enthalten wäre, und beim Fortschritt des sich Einhörens ins Phänomen, vollends bei der Lektüre der Partitur von »Khamma«, tauchen die »Fesseln«, die Spuren eines geordneten Verfahrens, aus der Tiefe auf, kommen an die Oberfläche, werden selber oberflächlich, Epiphänomene, positive analytische Befunde, die derart wieder in ein dem Werk, das doch durch solche pedantisch-konstruktivistischen Züge des Verfahrens hervorgebracht ward, Äußerliches umschlagen.

Analyse in der emphatischen Fülle ihres angesichts einer jeglichen – selbst der einfachsten – Musik waghalsig anspruchsvollen Begriffs hätte wenigstens den Nachvollzug dieser Dialektik auf sich zu nehmen, die in der unseligen historischen Spaltung zwischen Denken und Empfinden, dieser Fortsetzung frühester gesellschaftlicher Arbeitsteilung in die innere Zusammensetzung des Individuums hinein, entspringt und noch immer das Verhängnis besorgt, demzufolge Erlebnis und rationale Entschlüsselung einer Musik zwei durch einen kategorialen – fast schon »biologischen« – Abgrund geschiedene Operationen sind. Es kann nicht genug darauf insistiert werden, daß das biblische Hebräisch ein und dasselbe Verbum für Koïttieren und Erkennen hatte: der sprachliche Sachverhalt deutet auf einen alten Zusammenhang zwischen dem Inbegriff der Funktion des Empfindens, der des Geschlechts, und der Funktion des Intellekts, den musikalische Analyse endlich einholen müßte. Kein Zweifel, daß in »Khamma« eine so stringente Deduktion aller konkreten Formationen, Gestalten, Bildungen aus wenigen generativen Matrizen – vielleicht aus einer einzigen – waltet, wie Markus Spies dies für einige Aspekte von »Jeux« in diesem Band demonstriert. Für solche Nachweise bietet eine gewisse Schilderung des Verlaufs der Komposition keinen Ersatz; wohl aber wird sie der publizistischen Not gerecht, in der sich das Werk selber befindet. Eine öffentliche Analyse wäre, so lang »Khamma« nicht in einer Studienpartitur zugänglich ist, an der irgend Untersuchungsgänge und

---

[16] Georg Wilhelm Friedrich Hegel, Vorlesungen über die Ästhetik, vol. III, 3. Aufl., Stuttgart 1954, p. 214s.

Befunde nachvollzogen und verifiziert werden könnten, kaum die rechte Strategie.

Die lange »statische«[17] Einleitung, ein fernes Grollen, von drängenden Einschüben und Signalen auf verstörte Art mehrfach und sich steigernd unterbrochen – »comme un tumulte lointain«: die Stadt wird von feindlichen Heeren belagert, die sich schon zum Sturm bereiten –, ist der einzige von Debussy selbst in Orchesterpartitur niedergelegte Teil von »Khamma«. Gerade er klingt nicht wie Debussy sondern wirkt auf heutige Ohren als Vorwegnahme entscheidend späterer Musikästhetiken, insbesondere der futuristisch orientierten des Honeggerschen Dampflokomotivenstücks »Pacific 231« von 1923. Wo der Vorhang sich öffnet – es ist, als würde er von der Musik zerrissen, die eine unerwartete, dreifahrend erschreckende Geste vollführt –, setzt Kœchlins Handschrift ein; auf der Bühne ist das Innere des Amun-Ra-Tempels dargestellt, der Hohepriester tritt ein – wer an Wagners Musikdramaturgie geschult ist, wird das einen neuen Charakter marquierende, doch aus der eingangs diffus erschienenen Intervallzelle der ganzen Komposition derivierte melodische Profil der Posaunen und der Tuba als das Leitmotiv dieses von Maud Allan und W. L. Courtney verwandelten Sarastro identifizieren –, Beter legen ihre Opfergaben zu Füßen der Statuë des Gottes nieder. Die musikalischen Schichten der Einleitung wirken unterdessen fort, denn die Gefahr für die Stadt, deren Bedrohung sie symbolisieren, ist nicht gebannt. Der Hohepriester erhebt flehend die Hände zum Gottesbild – gewissermaßen werden sie durch sein vergrößertes Leitmotiv emporgetragen, das sich mit zwei in der Umkehrung gebrachten, also sinkenden Verkleinerungen seiner selbst und mit seiner steigenden Gestalt in den Notenwerten des Originalrhythmus zu einer der unglaublichen Polyphonien verbindet, die je geschrieben wurden. Dabei bilden die Intervallkonstellationen aller dieser Gestalten einander nicht exakt, sondern in subtilen, doch konstruktiv auseinander hervorgehenden Varianten ab: wie Projektionen derselben Figur auf in verschiedenen Neigungswinkeln zueinander stehende, gar sich dabei bewegende Bildschirme. Das eigentliche Gebet für die Rettung der Stadt – eine melodische Klage, »très expressif«, die aus der fast unmerklichen Linie des Kontrafagotts während der ersten Takte der Einleitung sich herleitet – wird von starren Tonwiederholungen vorbereitet und ohne Unterlaß begleitet: ein aus Angst in lauter Triolen klopfender Herzschlag. Doch läßt das Gottesbild kein Zeichen der Erhörung erkennen, die Musik fällt in Tempo und Charakter der Einleitung zurück, bis dem Hohenpriester ein graziöser Einfall kommt: ein tänzerisches Motiv von Harfe, Flöte und Becken, das seinem Kopf so neu und fertig zu entspringen scheint wie

---

[17] Das statischste Phänomen im musikalischen Komponieren, das Ostinato, das auch in dieser Einleitung eine Hauptrolle spielt und keineswegs bloß grundierend fungiert, wird von seinen Anhängern als »motorisch« bezeichnet, will sagen als dynamisch empfunden. Es ist zu Beginn von »Khamma« allerdings dialektisch: ein brodelndes, irisierendes Getön, das sich unaufhörlich bewegt und dennoch auf der Stelle verharrt gleich dem Feuer, als dessen Symbol es psychoanalytisch zu deuten wäre.

Pallas Athene dem Haupte des Zeus, das aber als Derivat der Schreckens-
geste der Vorhangsöffnung deduzibel ist und im Nu seine Wandlungsfähig-
keit derart unter Beweis stellt, daß es zugleich seine Herkunft aus den
Verkleinerungen des Hohenpriestermotivs an der hochpolyphonen Stelle
offenbart – der Zerreißer des Vorhangs und der Bewahrer des Heiligtums
müssen dieselbe Person sein, wie in einer psychoanalytischen Traumdeu-
tung. Der Einfall des Hohenpriesters aber, die junge Khamma im Tempel
tanzen zu lassen, weil einzig Kunst noch das Gemeinwesen zu retten vermag und das in Rede stehende Kunstwerk schließlich ein Ballett ist, leitet
zur zweiten Szene über. Die zarte Kleine wird zur Tempeltür herein-
gestoßen und fürchtet sich: die agilen Kapriolen und Volten ihrer Flucht-
versuche sind »entwickelnde« Variation ihres so versatilen, dabei über die
Maßen anmutigen Motivs, das ein geheimer Abkömmling des Hohenpriestermotivs ist – sie ist wohl seine illegitime Tochter, und darum gerät
alles so debordant, exuberant. Als sie endlich resigniert und sich nolens
volens darein fügt, ihre Pflicht für des Vaterlandes Rettung zu tun, wird
ihr Motiv manifest auf das des Hohenpriesters zurückgeführt und mit
einer Variante kontrapunktiert, die fast schon Khammas Apotheose ist.
Es folgen ihre drei großen Tänze vor dem Gottesbild, deren leitmotivische
Verwicklungen eine Komplexität der mehrfachen Symbolik entfalten, die
ich unterschlagen muß: ein Kompendium der Psychoanalyse an Hand
musikalischer Kompositionstechnik wäre zu schreiben, um den Verlauf
der musikalischen Konstellationen einigermaßen mit seinen multiplen
Bedeutungen – Musik ist im besten Fall halt doch eine signifizierende
Kunst – ineins zu setzen; Empfindung hingegen faßt solch komplexe Zu-
sammenhänge spontan auf, spottet aber zunächst der Verbalisierung infolge der phylogenetischen Zurückgebliebenheit des Intellekts, der erst
noch zu entwickeln und Termini hervorzubringen hätte. Es endet mit
Khammas Tod, wohl durch Herzversagen wegen Überbeanspruchung,
nachdem das Gottesbild zum Zeichen der Gebetserhörung kaum merklich
die Hände bewegt und Khamma sich – »ivre de joie« – in Frenesie ge-
steigert hatte. Jäher Umschlag über einem fast zu nichts reduzierten
formalen Scharnier, einem nackten, isolierten, völlig beziehungsfremden
Paukenwirbel. Dritte Szene: »C'est l'aube froide et grise du matin qui
lentement devient rose« – das Hohenpriestermotiv erscheint in einer
eigentümlich fahlen Farbe, die Grauen verströmt; post festum wird es
jetzt ins Todesmotiv Khammas umgedeutet, das es in Wahrheit von An-
beginn war. Der Sieg jedoch ist damit errungen, von allen Seiten naht
pentatonisierender Massenjubel, der so klingt, wie »Der Osten ist rot«
klingen müßte, wenn die Volksrepublik China sich auf Chinoiserien ver-
stünde wie Debussy. Dann Schlußklage und Segen, aus. Abbruch eher denn
Schluß.
 Die Schwäche dergestalt summarischer Schilderung, die man fortschrei-
tend eben um ihrer Schwäche willen immer drastischer verkürzt, weil es
in ihrem Verfolg so viel zu unterschlagen gilt, daß man am besten gleich

alles unterschlägt, liegt nicht darin, daß aus ihr kein Schema des Ganzen, keine Formel der Komposition, resultiert. Das wär vielmehr noch ihre Stärke. Sondern der deskriptive Ansatz als solcher führt dermaßen in die Irre, daß er umso weniger durchzuhalten wäre, je mehr ihm abverlangt werden sollte. Die Einbeziehung von Elementen der Bühnenhandlung in die Rechenschaft über Musikalisches freilich ist dabei nicht einmal eine Konzession an etwa unterstellte außermusikalische Assoziationssucht prospektiver Hörer einer Aufnahme – die Komposition von »Khamma« ist im Ergebnis wie die auch von »Jeux« als musique pure geraten und sollte vor Vertanzung eher geschützt werden –, sondern begründet sich unabweisbar aus dem Sachverhalt, daß der Duktus der Musik von der einzelnen Regung, Geste, Charakteristik über das enchaînement der Teile bis hinauf zur Gesamtform so streng vom Vorwurf, der im Ballettwesen wie in Parodie auf diskursives Raisonnieren das »Argument« heißt, generiert ward wie Schönbergs »Erwartung« vom Text Marie Pappenheims. Auch ist die Benennung von Motiven, als wären es schlechterdings welche, abwegig: ihre Identität kristallisiert sich in der realen Komposition nur momentan und verfließt mehr denn sie sich überhaupt bildet. Es sind Strukturen und Gestalten – die beiden Kategorien als entgegengesetzte Prinzipien wie in Klees Lehre genommen –, die generell aus gemeinsamen Matrizen und speziell auseinander hervorgehen; das in den Grammatiken flektierender Sprachen angenommene Verhältnis von Wurzel, Stamm und Wort wäre als Metapher noch zu rüstig, um die Derivationsgrade zu explizieren und bezöge sich zudem nur auf isolierte »Vokabeln« des Diskurses; doch träfe es wenigstens vergleichsweise einen Aspekt der deduktiven Technik von »Khamma«. Es sollte im Verlauf der fast alles eliminierenden Schilderung weder der Eindruck von motivisch-thematischer »Arbeit« entstanden sein, die wie unter einem Sabbathgebot aus diesem Komponieren verbannt ist – das »nicht Alltägliche« autonomer Musik als Negation eben des »Alltags«, des Teufelskreises von Produktion und Reproduktion, der die reale Welt bestimmt und zerstört, wird hier durch solch besondere »negative« Technik zur Idee der Aufhebung des Bestehenden konfiguriert –, noch sollte die personifizierende Nomenklatur für einige prägnante musikalische Gestalten zu der Vorstellung verführt haben, diese verfestigten sich auch nur für einen Augenblick. Im übrigen hängt die Unzulänglichkeit eines jeden schildernden Versuchs vor allem mit dem Parameter der Klangfarbe zusammen, der hier der entscheidende ist und als in sich vielfach zusammengesetzter, sowie von den übrigen Parametern des Schalls vielfach abhängiger, beim gegenwärtigen Stand auch der akustischen Wissenschaft selber noch jeder vernünftigen Darstellung widersteht. Er macht die Essenz eines Werks wie »Khamma« aus, indem er die anderen Parameter – den ganzen »Notentext« aus Tonhöhen, Dauern, Lautstärken – so steuert, daß dieser aus ihnen resultiert. So lang Klangfarbe nicht in diskursiver Sprache wenigstens eingehend deskribiert werden kann – es hat nirgends Sinn, tautologisch die Instrumentenanga-

ben der Partitur in eine sogenannte Analyse zu übernehmen –, erfährt sich
essayistisches Interesse an melodischen, harmonischen, rhythmischen Konfigurationen in ihrer vom sinnlichen Klang amputativ abgelösten Abstraktion ohnehin notwendig als einschneidend relativiert, wenn es um
orchestrale Komposition unverschandelt sensuellen Typs geht. Die unbe-
friedigende Rechenschaft, die ich vorläufig von »Khamma« gebe, stimmt
jedenfalls mit meiner Intention zusammen, der »Durchsetzung« des Werks
keine Vorschub zu leisten. Es ist dies »unter dem Aspekt der Dialektik
jeglicher Durchsetzung zu begreifen, die den Umschlag des Verfemten ins
Approbierte bedeutet, wie er bisher auch in der empirischen Realität, in
jeder politischen Revolution, den Zeitpunkt des Negativitätsverlusts, und
damit des Verlusts der Wahrheit, marquierte.«[18]

---

[18] Heinz-Klaus Metzger, Adorno und die Geschichte der musikalischen Avantgarde, Referat beim
Adorno-Symposion des Instituts für Wertungsforschung der Hochschule für Musik und dar-
stellende Kunst in Graz, 1977.

Rainer Riehn

Verzeichnis der Werke Claude Debussys[1]

1. Musiktheater

Rodrigue et Chimène, Opéra en 3 actes (C. Mendès), 1890–92, unvoll.

Pelléas et Melisande, Drame lyrique en 5 actes (M. Maeterlinck), 1893–1902, Fromont 1904, U: Paris 30. 5. 1902.

F. E. A. (Frères en art), Satire dramatique (C. Debussy/R. Peter), 1900, Libretto (?), keine Musik erhalten.

Le diable dans le beffroi, Conte musical en 2 actes (E. A. Poe), 1902–11, Skizzen.

La chute de la maison Usher, (C. Debussy nach E. A. Poe), 1908–17, unvoll., Particell und Skizzen, U des von C. Abbate entzifferten und R. Kyr instrumentierten Materials des Particells (2 Fassungen: für 10 Bläser bzw. für Orchester und Gesang) 23. 4. 1977, Yale University; U der wesentlich mehr Material verwendenden Fassung, die J. Allende-Blin nach den Manuskripten orchestrierte, 1./2. 12. 1977, Hessischer Rundfunk, Frankfurt a. M.

Le martyre de Saint-Sébastien, Mystère en 5 actes (G. d'Annunzio), 1911, Durand 1911, U: Paris 22. 5. 1911.

Khamma, Légende dansée (W. L. Courtney/M. Allan), 1911-12, (endgültige Orchestration von Debussy begonnen, von Ch. Kœchlin 1913 vollendet), Durand 1912 (Kl.-A.), U: Paris 15. 11. 1924 (konzertant), Paris 26. 3. 1947 (szenisch).

Jeux, Poème dansé (W. Nijinski), 1912–13, Durand 1914, U: Paris 15. 5. 1913.

La boîte à joujoux, Ballet pour enfants (A. Hellé), für Klavier 1913, Durand 1913, Part. (Orchestration von Debussy 1914 begonnen, vollendet von A. Caplet): Durand 1920, U: Paris 10. 12. 1919.

Le Palais du silence ou No-ja-li, Ballet en 1 acte (G. de Feure), 1914, Skizzen.

2. Schauspielmusiken

Diane au bois, Fragments pour soprano, ténor et accompagnement de piano für die gleichnamige Comédie héroique von Th. de Banville, 1883–86, U: B.B.C., 3. Programm, 9. 11. 1968.

Le roi Lear, Musique de scène pour orchestre für das gleichnamige Shakespeare-Stück, 1904, Jobert 1926 (Orchestrierung von Roger Ducasse), U: Paris 30. 10. 1926.

Chansons de Bilitis, musique de scène für 12 Gedichte von P. Louys, rezitiert mit tableaux vivants, für 2 Flöten, 2 Harfen und Celesta, 1900–01, Jobert 1971 (die verlorene Celestastimme wurde von A. Hoérée rekonstruiert), U: Paris 7. 2. 1901.

3. Vokalkompositionen mit Orchester

Daniel, Kantate (È. Cicile) für 3 Solisten und Orchester, um 1881.

Hélène, Scène lyrique (L. de Lisle) für Sopran, Chor und Orchester, um 1881–82.

---

[1] Dieses Werkregister enthält nicht: Übungsarbeiten aus Debussys Zeit am Conservatoire, Gelegenheitskompositionen für freundschaftliche und häusliche Anlässe sowie Bearbeitungen und Editionen fremder Werke.
Die Angaben fußen im wesentlichen auf François Lesures Werkkatalog (s. Bibliographie). In Klammern mit der Vorzeichnung Barraud bzw. Thompson sind signifikant von Lesure abweichende Daten angegeben, die ich zwei Werkregistern, die nur am weniges älter sind, entnommen habe: H. Barraud (con la consulenza di P. Rattalino), *Catalogo delle opere di C. Debussy*, in: Enciclopedia della Musica, Milano, Rizzoli-Ricordi, 1972, Bd. 2, Appendix, o. S.; K. Thompson, *A Dictionary of Twentieth-Century Composers (1911—1971)*, London, Faber & Faber, 1973, S. 77—116.

Printemps (de Ségur) für Frauenchor und Orchester, 1882, Choudens 1956 (unter dem Titel: *Salut printemps*, 1928: Kl.-A.), U: Paris 2. 4. 1928.

Hymnis für Gesang und Klavier zu der gleichnamigen Comédie lyrique von Th. de Banville, 1882, Fragmente.

Invocation (A. de Lamartine) für Männerchor und Orchester, 1883, Choudens 1928 (Kl.-A.), Part. (Thompson: Choudens 1957), U: Paris 2. 4. 1928.

Le Gladiateur (É. Moreau), Kantate für 3 Solisten und Orchester, 1883, U: 23. 6. 1883 (Thompson: 22. 6. 1883).

Le Printemps (J. Barbier) für Chor und Orchester, 1884.

L'enfant prodigue, Scène lyrique (É. Guinand) für Sopran, Tenor, Bariton, Chor und Orchester, 1884 (1. Fassung), 1906–08 (2. Fassung), Durand 1884 (Kl.-A.), Durand 1908 (2. Fassung), U: 27. 6. 1884; *Prélude, Cortège* und *Air de Danse* für Klavier (4-hdg.), Durand 1884.

Zuleima (G. Boyer nach H. Heine), Ode symphonique für Chor und Orchester, 1885–86, verschollen, U: Dezember 1886.

La damoiselle élue, Poème lyrique (nach D. G. Rossetti) für Soli, Frauenchor und Orchester, 1887–88, 1902 Neuorchestration, Durand 1903, U: Paris 8. 4. 1893 bzw. Paris 21. 12. 1902.

La Saulaie (D. G. Rossetti) für Bariton und Orchester, 1896–1900, Fragment.

Ode à la France, Kantate (L. Laloy) für Sopran, Chor und Orchester, 1916–17, vollendet von M. F. Gaillard, Choudens 1928 (Kl.-A.), Part. (Thompson: Choudens 1954), U: Paris 2. 4. 1928.

4. Kompositionen für Chor a capella

Choeur des brises, um 1882, Skizzen.

Trois chansons de Charles d'Orléans für 4-stimmigen gemischten Chor, 1898–1908, Durand 1908, U: Paris 9. 2. 1909 unter Debussys Leitung.

5. Klavierlieder

Ballade à la lune (de Musset), um 1879, verloren.

Madrid (de Musset), um 1879.

Nuit d'étoiles (Th. de Banville), 1880 (Barraud: 1876), Société artistique d'éd. d'estampes et de musique (E. Bulla), dépôt légal, 1882 (Barraud: Coutarel 1876).

Caprice (Th. de Banville), 1880, veröffentlicht in: P. Ruschenburg (s. Bibliographie) S. 167–8.

Beau soir (Th. de Banville), um 1880 (Barraud: 1878), Vve Girod, dépôt légal, 1891 (Barraud: Jobert 1878).

Fleur des blés (A. Girod), um 1880 (Barraud: 1878), Vve Girod, dépôt légal, 1891 (Barraud: 1878).

Rêverie (Th. de Banville), um 1880.

Souhait (Th. de Banville), 1881, U: Paris 29. 6. 1938.

Triolet à Philis (Th. de Banville), 1881, Schott 1932 (unter dem Titel: *Zéphir*), (Thompson: La Revue musicale 1. 9. 1890).

Les Roses (Th. de Banville), um 1881, U: Paris 12. 5. 1882 mit Debussy am Klavier.

Séguidille (Th. Gautier), um 1881.

Pierrot (Th. de Banville), um 1881, La Revue musicale 1. 5. 1926.

Aimons nous et dormons (Th. de Banville), um 1881, Th. Presser (Philadelphia) 1933.

Rondel chinois, um 1881.

Tragédie (L. Valade nach H. Heine), um 1881.

Jane (L. de Lisle), Chanson écossaise, um 1881, veröffentlicht in: P. Ruschenburg (s. Bibliographie) S. 169–70, U: Paris 29. 6. 1938.

Fantoches (P. Verlaine), 1. Fassung: 1882.

Le Lilas (Th. de Banville), 1882, U: Paris 29. 6. 1938.

Fête galante (Th. de Banville), 1882, U: Paris 12. 5. 1882 mit Debussy am Klavier.

Flots, palmes, sables (A. Renaud), 1882, U: 16. 11. 1947.

En sourdine (P. Verlaine), 1. Fassung: 1882, Elkan-Vogel (Philadelphia) 1944, U(?): Paris 14. 3. 1939.

Mandoline (P. Verlaine), 1882, Revue illustrée 1. 9. 1890 und Durand et Schœnewerk 1890, U(?): 16. 1. 1904.

Rondeau (A. de Musset), 1882, Schott 1932.

Pantomime (P. Verlaine), 1882, La Revue musicale 1. 5. 1926.

Clair de lune (P. Verlaine), 1. Fassung: 1882, La Revue musicale 1. 5. 1926.

La fille aux cheveux de lin (L. de Lisle), chanson écossaise, um 1882.

Sérénade (Th. de Banville), um 1882, U: Paris 29. 6. 1938.

Coquetterie posthume (Th. Gautier), 1883, U: Paris 14. 3. 1939.

Chanson espagnole für 2 gleiche Stimmen, 1883.

Romance (P. Bourget), musique pour éventail, 1883, U: Paris 14. 3. 1939.

Musique (P. Bourget), 1883.

Paysage sentimental (P. Bourget), 1883, Revue illustrée 15. 4. 1891.

L'Archet (Ch. Cros), um 1883.

(Chanson triste) (M. Bouchor), um 1883.

Fleur des eaux (M. Bouchor), um 1883.

Églogue (L. de Lisle), Duett für Sopran und Tenor, um 1883.

Romance (P. Bourget), 1884, Société nouvelle d'Éditions musicales 1907 (Thompson: 1902).

Apparition (St. Mallarmé), 1884, La Revue musicale 1. 5. 1926.

La romance d'Ariel (P. Bourget), 1884.

Regret (P. Bourget), 1884, U: Paris 14. 3. 1939.

Barcarolle (É. Guinand), um 1885, verschollen.

Ariettes oubliées (P. Verlaine), 1885–1903 (Thompson: 1887–88), Girod 1886, Fromont 1903 (mit Änderungen), U: 2. 2. 1889 mit Debussy am Klavier.

Axel (V. de l'Isle-Adam), um 1888, Fragment.

Cinq poèmes de Baudelaire, 1887–89, Subskriptionsdruck 1890, später: Durand 1902; Orchestration von Nr. 3, Durand 1907, U: Paris 24. 2. 1907.

La belle au bois dormant (V. Hyspa), 1890, Société nouvelle d'Éditions musicales (Paul Dupont) 1902.

Les Angélus (G. Le Roy), 1891, Hamelle 1891.

Dans le jardin (P. Gravollet), 1891, Hamelle 1891 (Thompson: 1905).

Deux romances (P. Bourget), 1891, Durand 1891.

Fêtes galantes (P. Verlaine), 1. Heft 1891, Fromont 1903 (Barraud: 1891).

Trois mélodies pour une voix avec accompagnement de piano (P. Verlaine), 1891, Hamelle 1901, U(?): 16. 1. 1904 (Nr. 1 und 2).

Proses lyriques (C. Debussy), 1892–93, Fromont 1895 (Barraud: 1893), U: Paris 17. 2. 1894 mit Debussy am Klavier (Nr. 3 und 4).

Chansons de Bilitis (P. Louÿs), 1897–98, Fromont 1899 (komplett, Nr. 2 bereits in: *Image*, Okt. 1897), U: Paris 17. 3. 1900 mit Debussy am Klavier.

Berceuse (pour la *Tragedie de la mort* de R. Peter), 1899.

Nuits blanches (C. Debussy), 1899–1902.

Trois chansons de France (Ch. d'Orleans, Tr. Lhermite), 1904, Durand 1904.

Fêtes galantes (P. Verlaine), 2. Heft 1904, Durand 1904, U: Paris 23. 6. 1904.

Le Promenoir des deux amants (Tr. Lhermite), 1904–10, Durand 1910, U: Paris 14. 1. 1911.

Trois ballades de François Villon, 1910, Durand 1910, U: Paris 5. 2. 1911 (komplett, Nr. 3 London 18. 11. 1910); Orchestration, Durand 1911, U: Paris 5. 3. 1911 unter Leitung des Komponisten.

Trois poèmes de Stéphane Mallarmé, 1913, Durand 1913, U: Paris 21. 3. 1914 mit Debussy am Klavier.

Noël des enfants qui n'ont plus de maison (C. Debussy), 1915, Durand 1916 (Fassung für Kinderchor und Klavier unveröff.), U: 9. 4. 1916.

6. Orchesterwerke

Symphonie en si mineur, 1880, Moskau 1933 (Kl.-A. des Finale).

Intermezzo, Fragment einer Suite für Violoncello und Orchester, 1882, Elkan-Vogel (Philadelphia) 1944.

Le triomphe de Bacchus, um 1882, Choudens 1928 (Instrumentation von M. F. Gaillard), U: Paris 2. 4. 1928; Fassung für Klavier (4-hdg.).

Première suite d'orchestre, um 1883, auch für Klavier.

Printemps, symphonische Suite für Orchester, Klavier und Chor, 1887, 1. Version: La Revue musicale Febr./März 1904 und Durand 1904 (Kl.-A. des 1. Teils), 2. Version: Durand 1912 (Kl.-A. von H. Busser), U: Paris 18. 4. 1913 (2. Version).

Fantaisie pour piano et orchestre, 1889–90, Fromont 1920 (Barraud: Jobert 1890; Thompson: Jobert 1919), U: 29. 11. 1919.

Trois scènes au crépuscule, 1892–93.

Prélude à l'après-midi d'un faune, 1892–94, Fromont 1895, U: Paris 22. 12. 1894; Version für 2 Klaviere.

Nocturnes, symphonisches Triptychon für Orchester und Frauenchor, 1897–99, Fromont 1900 (definitive Fassung: Jobert 1930), U: Paris 9. 12. 1900 *(Nuages und Fêtes)*, Paris 27. 10. 1901 (mit *Sirènes*).

Rapsodie pour orchestre et saxophone, 1901–11, Orchestration 1919 vollendet von Roger Ducasse, Durand 1919, U: Paris 14. 5. 1919.

Deux danses für chromatische Harfe und Streichorchester, 1904, Durand 1904, U: Paris 6. 11. 1904; Fassung für 2 Klaviere 1904.

La Mer, 3 symphonische Skizzen, 1903–05, Durand 1905, U: Paris 15. 10. 1905; Fassung für Klavier (4-hdg.), Durand 1905.

Images, 1905–12, Durand 1913, U: Paris 26. 1. 1913 unter Leitung des Komponisten, besteht aus: I. Gigues (1909–12, Durand 1913, U: Paris 26. 1. 1913), II. Ibéria (1905–08, Durand 1910, U: 20. 2. 1910), III. Rondes de printemps (1905–09, Durand 1910, U: Paris 2. 3. 1910 unter Leitung des Komponisten).

(Thompson erwähnt noch ein undatiertes *Scherzo* für Violine und Orchester.)

7. Kammermusik

Premier trio en sol für Klavier, Violine und Violoncello, um 1879, verschollen.

Nocturne et scherzo für Violoncello und Klavier, 1882.

Quatuor à cordes, 1893, Durand 1894, U: Paris 19. 12. 1893.

Première rapsodie pour clarinette en si^b und Klavier (oder Orchester), 1909–10, Durand 1910 (Klavier) und 1911 (Orchester), U: Paris 16. 1. 1911 (mit Klavier) bzw. 3. 5. 1919 (mit Orchester).

Petite pièce für Klarinette und Klavier, 1910, Durand 1910.

Syrinx für Flöte solo, 1913, Jobert 1927 (Barraud-Thompson; 1913), U: Paris 1. 12. 1913.

Sonate pour violoncello et piano, 1915, Durand 1915, U: Paris 24. 3. 1917 mit Debussy am Klavier (Thompson: London, 4. 3. 1916).

Sonate en trio für Flöte, Viola und Harfe, 1915, Durand 1916, U: Paris 10. 12. 1916.

Sonate für Violine und Klavier, 1916–17, Durand 1917, U: Paris 5. 5. 1917 mit Debussy am Klavier.

(Thompson erwähnt noch ein undatiertes *Intermezzo* für Cello und Klavier.)

8. Werke für Klavier

Danse bohémienne, 1880, Schott 1932.

Divertissement (4-hdg.), um 1882, verschollen.

Petite Suite (4-hdg.), 1888–89, Durand 1889, U: Paris 1. 3. 1889 unter Mitwirkung von Debussy.

Deux arabesques, 1888–91, Durand et Schœnewerk 1891, U: Paris 23. 5. 1894 (2. Arabeske).

Mazurka, 1890 (?) (Barraud-Thompson: 1891), Hamelle 1904 (Barraud: Jobert 1891).

Rêverie, 1890, Choudens 1891, U: Paris 27. 2. 1899.

Tarentelle styrienne, 1890, Choudens 1891, U: Paris 10. 3. 1900.

Ballade slave, 1890, Choudens 1891.

Valse romantique, 1890, Choudens 1890.

Suite bergamasque, 1890–1905, Fromont 1905 (Barraud: Jobert 1890).

Marche écossaise sur un thème populaire (4-hdg.), 1891, Choudens 1891; Orchestration 1908, Jobert 1911, U: 19. 4. 1913.

Nocturne, 1892 (Barraud: 1890), Le Figaro musical August 1892 (Barraud: Eschig 1890).

Images, 1894, Presser 1977 (unter dem Titel: *Images oubliées*), Nr. 2 in: Grand Journal 17. 2. 1896.

Pour le piano, 1894–1901, Fromont 1901, U: Paris 11. 1. 1902.

Lindaraja für 2 Klaviere, 1901, Jobert 1926, U: Paris 28. 10. 1926.

D'un cahier d'esquisses, 1903, Paris-Illustré Februar 1904 und Schott 1904, U: Paris 20. 4. 1910.

Estampes, 1903, Durand 1903, U: Paris 9. 1. 1904.

Masques, 1904, Durand 1904, U: Paris 18. 2. 1905.

L'isle joyeuse, 1904, Durand 1904, U: Paris 18. 2. 1905; Orchestration von B. Molinari nach Angaben von Debussy, Durand 1923, U: Paris 11. 11. 1923.

Pièce pour piano, 1904, Musica Januar 1905, Nr. 6, S. 9.

Images, 1. Heft 1904–05, Durand 1905, U: Paris 3. 3. 1906; Nr. 2 für Klavier (4-hdg.), Durand 1905.

Images, 2. Heft 1907, Durand 1908, U: Paris 21. 2. 1908.

Children's Corner, Kleine Suite, 1906–08, Durand 1908, U: Paris 18. 12. 1908.

The Little Nigar (cake-walk), 1909, in: Th. Lack, Méthode élémentaire de piano ... Leduc 1909, Nr. 39, S. 64–65.

Hommage à Joseph Haydn, 1909, Revue S. I. M. Januar 1910 und Durand 1910, U: Paris 11. 3. 1911.

Préludes, 1. Heft, 1909–10, Durand 1910, U: Paris 25. 5. 1910 (Debussy: Nr. 1, 2, 10, 11) bzw. Paris 14. 1. 1911 (Nr. 5, 8, 9) bzw. Paris 29. 3. 1911 (Debussy: Nr. 3, 6, 12); Nr. 12 bearbeitet für Violine und Klavier 1914.

La plus que lente, Walzer, 1910, Durand 1910; Orchestration, Durand 1912.

Préludes, 2. Heft, 1910–12, Durand 1913, U: Paris 5. 4. 1913 (Nr. 4, 7, 12) bzw. Paris 19. 6. 1913 (Debussy: Nr. 7, 9, 10) bzw. Paris 5. 12. 1913 (Nr. 2, 3, 6, 8, 10), Thompson: 2. 6. 1910 (Nr. 8).

Six épigraphes antiques (2-hdg. und 4-hdg.), 1914, Durand 1915 (beide Versionen), U: 17. 3. 1917 (?).

Berceuse héroïque, 1914, Durand 1915; Orchestration 1914, Durand 1915, U: 26. 10. 1915.

Pièce pour piano, 1915.

En blanc et noir für 2 Klaviere, 1915, Durand 1915, U: 21. 12. 1916 unter Mitwirkung von Debussy.

Douze études, 1915, Durand 1916, U: Paris 14. 12. 1916.

Élégie, 1915.

(Thompson erwähnt noch ein *Andante*, um 1880.

Rainer Riehn

Verzeichnis der von Debussy eingespielten Aufnahmen

a) Welte Music Rolls

Nr. 2733 Children's Corner (komplett)

Nr. 2734 D'un Cahier d'Esquisses

Nr. 2735 La Soirée dans Grenade (Estampes, Nr. 2)

Nr. 2736 La plus que lente, Waltz

Nr. 2738 Préludes: Danseuses de Delphes
                       La Cathédrale engloutie
                       La Danse de Puck

Nr. 2739 Préludes: Le Vent dans la Plaine
                       Minstrels

b) Gramophone

Nr. 33447 Pelléas et Mélisande, 3. Akt, Szene 1

Nr. 33448 Ariettes oubliées Nr. 1

Nr. 33449 Ariettes oubliées Nr. 5

Nr. 33450 Ariettes oubliées Nr. 3

Nr. 33451 Ariettes oubliées Nr. 2

Nr. 33452 Ariettes oubliées Nr. 4

Alle unter b) genannten Aufnahmen entstanden im Jahr 1904 mit Debussy am Klavier und der Sopranistin Mary Garden.

François Lesure
Auswahlbibliographie

Schriften:
Monsieur Croche et autres écrits. Edition complète de son oeuvre critique... par François Lesure, Paris, Gallimard, 1971 (dt. Übers. von Josef Häusler: *Monsieur Croche. Sämtliche Schriften und Interviews*, Stuttgart, Reclam 1974; die engl. Übers. von Richard Langham Smith, *Debussy on music*, New York, A. Knopf, 1977, enthält drei Interviews, die sich in keiner der vorhergehenden Editionen finden).

Briefe:
Die reichhaltigsten Sammlungen, die bedauerlicherweise zum größten Teil nicht mehr im Handel sind, sind die folgenden: *Debussy et d'Annunzio*, hrsg. von Guy Tosi (Paris, Denoël, 1948); *Lettres inédites à André Caplet*, hrsg. von Edward Lockspeiser (Monaco, Editions du Rocher, 1957); *Lettres de Claude Debussy à son éditeur* hrsg. von J. Durand (Paris, Durand, 1927); *Lettres à deux amis, 78 lettres inédites à Robert Godet et G. Jean-Aubry* (Paris, J. Corti, 1942); »Correspondance de C. Debussy et de Louis Laloy«, in: *Revue de Musicologie, 1962; Correspondance de C. Debussy et Pierre Louys* (1893–1904), hrsg. von H. Borgeaud (Paris, J. Corti, 1945); *L'enfance de Pelléas. Lettres de C. Debussy à André Messager*, hrsg. von J. A. Messager (Paris, Dorbon, 1938); *Correspondance de C. Debussy et P. J. Toulet*, hrsg. von H. Martineau (Paris, Le Divan, 1929).

Werkkatalog:
François Lesure, *Catalogue de l'oeuvre de C. Debussy*, Genf, Éditions Minkoff, 1977.

Biographien:
Die Arbeiten von größtem dokumentarischen Wert sind die folgenden: Vallas (Léon), *C. Debussy et son temps*, Paris, Albin Michel, 1958 (veraltet, dennoch unentbehrlich, vor allem wegen der Presseauszüge aus Debussys Zeit), dt. Übers. von Karl August Horst: *Debussy und seine Zeit*, München, Nymphenburger Verlagshandlung, 1961; Lockspeiser (Edward), *Debussy. His life and mind*, 2 Bd., London-New York, Cassell-Macmillan, 1962–65 (stellt den Musiker in den literarischen und künstlerischen Kontext seiner Zeit); Dietschy (Marcel), *La passion de C. Debussy*, Neuchâtel, La Baconnière, 1962 (minutiöse biographische Chronik).
Von den abrißhaften Darstellungen, die sich zu rascher Konsultation eignen, sind hervorzuheben: Barraqué (Jean), *Debussy*, Paris, Éditions du Seuil, 1962 (dt. Übers. von Clarita Waege und Hortensia Weiher-Waege, Hamburg, Rowohlt, 1964); Danckert (Werner), *C. Debussy*, Berlin, de Gruyter, 1950; Strobel (Heinrich), *C. Debussy*, erweiterte und verbesserte Auflage, Zürich, Atlantis, 1961.

Musikwissenschaftliche Arbeiten:
Jarocinski (Stefan), *Debussy: impressionnisme et symbolisme*, Paris, Éditions du Seuil, 1970 (Übers. aus d. Poln. von Thérèse Douchy). Hervorragende Studie, die die historische und ästhetische Stellung des Musikers bestimmt. Wenk (Arthur B.), *C. Debussy and the Poets*, Berkeley, Univers. of California Press, 1976. Lockspeiser (Edward), *Debussy et Edgar Poe*, Monaco, Éditions du Rocher, 1961 (Dokumente zu *La Chute de la Maison Usher* und *Le Diable dans le beffroi*). Emmanuel (Maurice), *Pelléas et Mélisande. Etude historique et critique*, Paris, Mellotée, 1926 (die détailierteste Analyse des Werks). Gervais (Françoise), *Étude comparée des langages harmoniques de Fauré et de Debussy*, Paris, La Revue musicale, 2 Bd., 1974. Hardeck (Erwin), *Untersuchungen zu den Klavierliedern C. Debussy*, Regensburg, Bosse, 1967. Zenck-Maurer (Claudia), *Versuch über die wahre Art, Debussy zu analysieren*, München-Salzburg,

Katzbichler, 1974. Ruschenberg (Peter), *Stilkritische Untersuchungen zu den Liedern C. Debussys*, Kassel, Bärenreiter, 1966. Porten (Maria), *Zum Problem der »Form« bei Debussy*, München-Salzburg, Katzbichler, 1974. *Debussy et l'evolution de la musique au XXe siècle*, hrsg. von Edith Weber, Paris, C. N. R. S., 1965 (Actes du colloque du centenaire de 1962). Eimert (Herbert), *Debussys »Jeux«*, in *die Reihe V*, Wien, Universal Edition, 1959 (eine Analyse, die Gegenstand etlicher Polemiken wurde). Imberty (Michel), *Signification and meaning in music (on Debussy's Préludes pour le piano)*, Montréal, Groupe de recherches en sémiologie musicale, 1976.

Für weitere Détails konsultiere man: Abravanel (Claude), *C. Debussy. A bibliography*, Detroit, Information Coordinators, 1974, (die mehr als 1800 Werktitel und Artikel enthält).

Für die Diskographie steht folgende Arbeit zur Verfügung: Cobb (Margaret G.), *Discographie de l'œvre de C. Debussy*, (1902–1950), Genf, Éditions Minkoff, 1975.

Ein Debussy gewidmetes Dokumentationszentrum ist in Saint-Germain-en-Lay (11, rue d'Alsace) eingerichtet worden.